PRATIQUE
DE LA MÉDITATION
à chaque instant

D1273305

Titre original :
THIỀN TẬP CHO NHỮNG NGƯỜI BẬN RỘN

© Harper Collins, 2011, pour la traduction américaine
© Le Courrier du Livre, 2011 pour la traduction en français, 2013, 2016

Traduit de l'anglais par la Sangha du Village des Pruniers

ISBN : 978-2-7029-0916-4

www.edition-tredaniel.com
info@guytredaniel.fr

THICH NHAT HANH

PRATIQUE
DE LA MÉDITATION
à chaque instant

petit guide pour nos vies
trop occupées

Quatrième édition

Le Courrier du Livre
27, rue des Grands-Augustins
75006 Paris

Sommaire

NOTE DE L'AUTEUR

Quand j'étais un jeune moine étudiant à l'institut bouddhique, je me demandais toujours comment les enseignements du Bouddha que nous étudiions pouvaient être concrètement appliqués dans notre vie. J'étais convaincu que la pratique correcte des enseignements m'aiderait, aiderait les autres personnes autour de moi ainsi que mon pays. Le désir d'apprendre le « bouddhisme appliqué » était très fort en moi ; mais cette expression n'existait pas encore à l'époque. Les enseignements et les méthodes bouddhistes que nous apprenions en ce temps-là étaient difficiles à mettre en pratique pour des jeunes comme moi, non seulement à cause du langage utilisé pour les enseigner, mais aussi parce qu'ils ne répondaient pas directement aux souffrances et aux difficultés que les gens rencontraient dans la société moderne.

Nous avions besoin de pratiques concrètes pouvant répondre aux problèmes de pauvreté, d'injustice sociale, d'inégalité et d'indépendance nationale. Au Moyen Âge, les enseignements bouddhistes avaient servi mon pays et mon peuple avec succès, mais s'ils n'étaient pas renouvelés pour être adaptés à cette nouvelle époque, ils ne pourraient continuer à inspirer notre société, ni l'aider à s'améliorer. Le défi alors, pour nous pratiquants, était de renouveler le bouddhisme.

Lorsque je suis devenu un jeune enseignant du Dharma, j'ai essayé de présenter le bouddhisme dans un langage qui pourrait être facilement compris par les gens de ma génération, et de partager des pratiques qui pourraient les aider à moins souffrir et à avoir suffisamment de joie et de paix pour être heureux et aider les autres. En réalité, mes jeunes étudiants monastiques et moi, nous nous sommes transformés en sorte de laboratoire vivant pour pouvoir produire ces enseignements et pratiques.

Au début, dans les années 60 et 70, nous avons créé ce que nous appelâmes le « bouddhisme engagé ». Avec de nombreux jeunes moines, moniales et pratiquants laïques, nous avons mis en place une organisation ayant pour but d'améliorer la qualité de vie à la campagne : l'Ecole de la Jeunesse pour le Service Social (EJSS). Nous y formions de jeunes moines, moniales et travailleurs sociaux laïques dans les domaines médical, éducatif, économique et dans le domaine du développement social. Nous travaillions aussi à promouvoir la paix et la réconciliation. Le travail était difficile et dangereux, parce qu'il était fait au milieu d'une guerre terrible. Beaucoup de nos enseignants comme de nos étudiants furent tués.

En 1974, j'ai écrit *Le Miracle de la Pleine Conscience*[1], un manuel de pratique de la méditation, pour les membres de l'EJSS. J'ai écrit ce livre pour aider militants pour la paix et travailleurs sociaux à se nourrir de la pratique, afin qu'ils puissent continuer à servir même dans des situations pleines de suspicion et de violence. Ce livre fut accueilli chaleureusement et a été traduit en de nombreuses langues depuis sa parution, il y a plus de 35 ans. En 1991, nous publiâmes *Peace is Every Step (La Sérénité de l'Instant — Paix et joie à chaque pas*[2]), rassemblant une série de très courts chapitres qui expliquent comment apporter la pleine conscience et la paix dans nombre d'aspects différents de la vie quotidienne. Ce livre fut encore plus populaire que *Le Miracle de la Pleine Conscience*.

1 Voir Thich Nhât Hanh, *Le Miracle de la Pleine Conscience*, l'espace bleu, 1994.

2 Voir Thich Nhât Hanh, *La Sérénité de l'instant — Paix et joie à chaque pas*, Editions Dangles, 1992.

Le livre *Pratique de la méditation à chaque instant*, est une continuation du *Miracle de la Pleine Conscience* et de *La Sérénité de l'Instant*, dans le sens où il s'agit d'un petit livre, facile à lire, et très simple à mettre en pratique. Je te garantis que tu pourras être en contact avec la paix et la joie véritables maintes et maintes fois tout au long de la journée, même avec un emploi du temps très chargé. Laisse ce livre devenir ton compagnon et apporter plus de bonheur dans ta vie, en commençant dès maintenant.

INTRODUCTION

Nous avons tous besoin d'une dimension spirituelle dans notre vie. Nous avons besoin de pratique spirituelle. Si notre pratique est régulière et solide, nous serons capables de transformer la peur, la colère et le désespoir en nous et de surmonter les difficultés que nous rencontrons dans la vie quotidienne.

La très bonne nouvelle est que la pratique spirituelle peut être retrouvée à n'importe quel moment de la journée ; il n'est pas nécessaire de programmer des moments exclusivement consacrés à la « Pratique Spirituelle » avec un P et un S majuscules. Notre pratique spirituelle peut être là à n'importe quel moment, dès que nous cultivons les énergies de pleine conscience et de concentration.

Quoi que tu fasses, tu peux choisir de le faire en étant pleinement présent, avec pleine conscience et concentration. Et ton action devient une pratique spirituelle. Avec la pleine conscience, tu inspires, et te voilà bien établi dans l'ici et le maintenant. Inspirer et ressentir pleinement la vie qui est en toi est une pratique spirituelle. Chacun d'entre nous est capable d'inspirer en pleine conscience. J'inspire, et je sais que je suis en train d'inspirer. Voilà la pratique de la respiration consciente.

Si la pratique de la respiration en pleine conscience est très simple, ses effets n'en sont pas moins grands. En nous focalisant sur notre respiration, nous lâchons prise du passé, du futur et de nos projets. Nous nous établissons dans cette respiration de tout notre être. Notre esprit revient à notre corps, et nous sommes vraiment là, vivant, dans le moment présent. Nous sommes chez nous. Une simple respiration et notre énergie de pleine conscience est là en nous. La pleine conscience est l'énergie qui nous rend pleinement présent, pleinement vivant dans l'ici et le maintenant.

Si nous revenons en nous-mêmes et que nous remarquons qu'il y a dans notre corps des tensions ou des douleurs, c'est la pleine conscience qui nous le fait savoir. La pleine conscience est ce qui nous remet en contact avec ce qui se passe dans le moment présent dans notre corps, dans nos sensations, dans nos pensées, et aussi dans notre environnement. Elle nous permet d'être pleinement présents dans l'ici et le maintenant, corps et esprit ensemble, conscients de ce qui se passe en nous et autour de nous. Et quand nous sommes pleinement conscients de quelque chose, nous sommes concentrés dessus.

La pleine conscience et la concentration sont les énergies de base de la pratique spirituelle. Nous pouvons boire notre thé en pleine conscience, préparer notre petit déjeuner en pleine conscience et nous doucher en pleine conscience ; tout cela devient notre pratique spirituelle et nous donne la force de gérer les nombreuses difficultés qui peuvent survenir dans notre vie quotidienne et dans notre société.

Où que tu sois, en devenant simplement conscient de ton corps et de ton état de détente, de tension ou de douleur (ou même de tous les trois en même temps dans différentes parties du corps), tu es déjà en train de réaliser une certaine compréhension, une certaine conscience – un certain éveil. Et quand tu sauras qu'il y a de la tension ou de la douleur dans ton corps, tu auras peut-être envie de faire quelque chose pour aider à les soulager. Tu peux dire en toi-même, en même temps que tu inspires et expires : « En inspirant, je suis conscient des tensions ou des douleurs dans mon corps ; en expirant, je permets à mon corps de se détendre. » Voilà ce qu'est la pleine conscience du corps.

La pratique spirituelle est donc possible pour nous tous. Tu ne peux pas dire « Je suis trop occupé, je n'ai pas le temps de méditer. » Non. En marchant d'un bâtiment à un autre, du parking à ton bureau, tu peux toujours en profiter pour marcher en pleine conscience et apprécier chacun de tes pas. Chaque pas fait en pleine conscience peut t'aider à relâcher les tensions de ton corps, à relâcher les tensions dans tes sensations, et à t'apporter guérison, joie et transformation.

TU AIMES beaucoup ton travail. Tu t'investis énormément et cela t'apporte beaucoup de joie. Cependant, travaillant trop et débordé par tes nombreux projets, tu es fatigué. Tu souhaiterais pratiquer la méditation pour te sentir mieux et avoir plus de paix, de joie et de bonheur dans ta vie quotidienne, mais tu n'as pas le temps de méditer chaque jour, alors, comment faire ? Ce livre va t'offrir une réponse.

Chaque
moment
est un cadeau
de la vie

D'abord sourire le matin au réveil

Au réveil, chaque matin, dès que tu ouvres les yeux, souris. Ce sourire porte en lui ta nature d'éveil : tu es conscient qu'une nouvelle journée commence, que la vie te présente en cadeau 24 heures toutes neuves, c'est le don le plus précieux. Tu peux alors réciter ce poème silencieusement ou à voix basse :

Me réveillant ce matin, je souris.
J'ai vingt-quatre heures toutes nouvelles.
Je forme le vœu de vivre chaque instant dans sa plénitude
Et de poser sur le monde un regard aimant.

Tu peux rester au lit, les deux bras et les deux jambes détendus en récitant ce poème : en inspirant, récite la première ligne, en expirant, récite la deuxième ; en inspirant, continue avec la troisième, en expirant, avec la quatrième. Puis, avec un sourire tu te lèves, tu enfiles tes chaussons et tu vas à la salle de bains, conscient que chaque moment est un cadeau de la vie.

Ouvrir le robinet pour te laver dans la joie

Tu peux avoir beaucoup de bonheur pendant tout le temps où tu te laves le visage, te rinces la bouche, quand tu te peignes ou prends une douche si tu sais éclairer toutes tes actions avec la pleine conscience. Par exemple en ouvrant le robinet, tu te réjouis de l'eau qui commence à couler, de son parcours jusqu'à ta salle de bains. Tu peux réciter silencieusement le poème suivant :

L'eau descend des hauteurs de la montagne
Ou monte des profondeurs de la Terre.
L'eau coule miraculeusement jusqu'à nous.
Ma gratitude envers elle est débordante.

Ce poème t'aide à voir et à savoir d'où l'eau provient. C'est déjà la méditation. Tu réalises combien tu es chanceux d'avoir si facilement l'eau courante ; il suffit d'ouvrir le robinet. Cette prise de conscience te rend heureux. C'est la pleine conscience : la capacité de reconnaître ce qui se passe à chaque instant. Ce qui se passe ici est que tu ouvres le robinet et que l'eau coule. Au Village des Pruniers en France, lors d'une tempête, il y a eu une coupure d'eau. Nous avons ressenti le désarroi d'être privés d'eau et le bonheur d'en jouir à nouveau. Ce bonheur n'est reconnu que si nous nous souvenons du désarroi dans lequel nous avons été plongés.

J'aime toujours ouvrir le robinet doucement, prendre l'eau fraîche dans mes deux mains pour asperger mes yeux. Ici en hiver, tu sais, l'eau est très, très froide ! La sensation provoquée par l'eau froide sur les doigts, les yeux et les joues est stimulante. Sois présent pour reconnaître cette sensation. Elle te réveille complètement, savoure-la. Tu es heureux parce que tu sais comment chérir l'eau et nourrir ta gratitude.

Il en est de même quand tu fais couler de l'eau dans une cuvette pour ta toilette. Sois conscient de chaque mouvement, ne pense à rien. Le plus important à faire en cet instant, c'est de sentir la joie dans chaque acte. Ne te précipite pas pour en finir au plus vite. C'est cela la méditation : t'offrir à toi-même cette présence véritable à chaque instant, avoir la capacité de reconnaître chaque moment comme un cadeau de la vie, de la Terre et du Ciel. Dans le zen, ce bonheur s'appelle *la joie de la méditation*.

Es-tu heureux quand tu te brosses les dents ?

C'est un défi ! Tu as une à deux minutes pour te brosser les dents ; comment faire pour être heureux en si peu de temps ? Ne te presse pas. N'essaie pas de te brosser les dents pour finir le plus vite possible. Il faut mettre tout ton cœur dans cet acte.

Tu as le temps de te brosser les dents, tu as une brosse, du dentifrice, des dents à brosser. J'ai plus de 80 ans et chaque fois que je me brosse les dents, je suis heureux. Tu sais, c'est une merveille d'avoir, à cet âge-là, une trentaine de dents à brosser ! C'est bien un défi de savoir t'y prendre pour être libre et heureux pendant ce laps de temps si court. Si tu y arrives, tu réussis déjà dans la méditation.

Voici un poème dont tu peux te réjouir :

En me brossant les dents,
Je fais le vœu d'embellir mes paroles.
Lorsque ma bouche est embaumée par les mots justes,
Une fleur éclôt dans le jardin de mon cœur.

Les poèmes nous aident à prendre conscience de ce qui se passe dans le moment présent. Cependant, n'en soyons pas prisonniers. Si nous sommes en pleine conscience et dans la concentration, si nous sommes bien établis dans le moment présent, nous n'avons pas nécessairement besoin de ces poèmes.

Te doucher et t'habiller calmement dans le bonheur

Tu peux pratiquer de la même façon que pour tes dents en te frottant avec le savon, en te rasant, en te peignant, en t'habillant… Ton corps et ton esprit sont pleinement dans ce que tu fais. Fais-le calmement dans le bonheur, comme si se raser, se peigner, se laver étaient les tâches les plus importantes dans cette vie. Ne te laisse pas emporter par le passé, le futur, le souci, la colère ou la souffrance.

Essaie cette pratique simple et au bout de trois jours, tu constateras une amélioration comme pendant un entraînement en musique, en chant ou en sport… Entraîne-toi à vivre pleinement et librement chaque instant de ta vie quotidienne. C'est ce que tu veux vraiment, n'est-ce pas ? Pour y arriver, tu devras abandonner le passé, le futur, les soucis pour revenir au moment présent, qui lui seul contient la vie avec toutes ses merveilles.

T'asseoir et respirer tranquillement

Certaines personnes pratiquent la méditation assise pendant une demi-heure, trois quarts d'heure ou plus longtemps. Là, je t'invite à t'asseoir seulement pendant 2 ou 3 minutes. Plus tard, si tu trouves que la méditation assise est agréable, tu pourras t'asseoir plus longtemps, aussi longtemps que tu le souhaites.

Si tu le peux, aménage-toi un espace de recueillement, même petit. C'est là que tu iras t'asseoir. Sinon, choisis un lieu qui te convient, par exemple, devant une fenêtre, ayant une vue qui te plaît. Procure-toi un petit coussin de 10 à 15 centimètres d'épaisseur pour t'asseoir. Croise les deux jambes confortablement sans blocage, les deux genoux posés sur le sol. Ainsi, les fesses et les deux genoux forment trois points très stables. Essaie de t'asseoir sur différents coussins pour en trouver un de l'épaisseur bien adaptée à ton corps. Quand ta posture assise est solide et à l'aise, tu peux t'asseoir longtemps sans avoir mal aux jambes.

Tu peux allumer de l'encens pour rendre l'ambiance propice. Tiens sereinement l'encens dans tes mains. Sois totalement présent quand tu l'allumes et le mets dans l'encensoir. Il faut faire en sorte que la pleine conscience et la concentration soient pleinement dans cet acte, corps et esprit parfaitement unis.

Assieds-toi avec le dos et la tête alignés, mais sans rigidité. En inspirant et en expirant, focalise ton attention sur le mouvement de la respiration au niveau de ton abdomen et de ta poitrine.

J'inspire, je suis attentif au mouvement de la respiration au niveau de mon abdomen et de ma poitrine.

J'expire, je suis attentif au mouvement de la respiration au niveau de mon abdomen et de ma poitrine.

J'inspire, je suis conscient de tout mon corps.

J'expire, je souris à tout mon corps.

J'inspire, je suis conscient de la tension et des douleurs dans mon corps.

J'expire, je relâche toutes tensions et toutes douleurs dans mon corps.

J'inspire, je me sens bien.

J'expire, je me sens à l'aise.

Si tu veux, tu peux pratiquer cet exercice plusieurs fois dans la journée, même au travail, sur une chaise, pour pouvoir t'arrêter, te détendre et avoir plus de fraîcheur[1].

1 Pour en savoir plus sur la pratique de la respiration consciente, voir Thich Nhât Hanh, *Transformation et guérison*, Albin Michel, 1997.

Uriner, déféquer dans la détente

Tu peux également pratiquer la méditation en urinant et en déféquant. C'est aussi important que de respirer, de marcher, de t'asseoir, de boire, de manger et d'allumer l'encens. La vie et la joie doivent être aussi présentes dans ces actes. Il faut savoir vivre profondément ces moments-là et mettre tout ton être dans ces actes. Détends-toi, mets-toi à l'aise et sois joyeux. Pense aux moments de constipation, d'infection urinaire, d'incontinence ou de douleurs et tu verras que c'est un grand bonheur de pouvoir uriner et déféquer sans problème. As-tu besoin d'un poème ? Le voilà :

Pur ou impur,
Croissant ou décroissant,
Ces concepts n'existent que dans notre esprit.
La réalité de l'inter-être[1] est inégalée.

---

1 Tous les phénomènes ne peuvent être par eux-mêmes. Ils sont interdépendants : ceci est parce que cela est ; ceci n'est pas parce que cela n'est pas.

La vision profonde te mène sur la rive de la liberté, de la paix et du bonheur. Tu peux investir 100 % de ton corps et de ton esprit dans les actes d'uriner, de déféquer, de te brosser les dents et de marcher... C'est cela la méditation !

Préparer ton petit déjeuner comme une méditation

La préparation du petit déjeuner est aussi une pratique de méditation ! Mettre de l'eau à bouillir, préparer une tasse de thé ou de café, servir un bol de céréales, tartiner, mettre le couvert, toutes ces actions peuvent être faites en pleine conscience. Préparer le petit déjeuner en pleine conscience signifie que tu accomplis chaque action avec une conscience claire de ce qui se passe et de ce que tu fais dans le moment présent, et tu en ressens de la joie. La pleine conscience est l'énergie qui éclaire tout ce qui t'arrive ici et maintenant. C'est le cœur de la pratique de méditation.

Quand tu prépares le thé ou le café, sois conscient que tu es en train de préparer le thé ou le café. Sans penser au passé, au futur, ton corps et ton esprit sont complètement dans l'acte de préparer le thé ou le café ; là, tu es en pleine conscience.

La pleine conscience t'aide à vivre profondément chaque instant de ta vie quotidienne. Tout le monde, vois-tu, a la capacité d'être en pleine conscience, mais ceux et celles qui savent comment pratiquer développent une énergie de pleine conscience beaucoup plus puissante et leur capacité de s'établir en paix dans le présent est bien plus grande.

Tu peux transformer le temps de préparation de ton petit déjeuner en une session de méditation, c'est très intéressant. Si quelqu'un de la famille ou de ton entourage est déjà en train de le préparer dans la cuisine, tu peux y entrer à ton tour et lui proposer de le préparer ensemble, en pleine conscience. Tous les deux, vous pratiquerez l'art de vivre dans le moment présent et vous transformerez ce moment en joie.

Prendre ton repas en te reposant

Fais en sorte que ton repas soit un moment de détente et de bonheur. Ne lis pas de journal, n'allume ni la télévision ni l'ordinateur. Assieds-toi bien droit, regarde la nourriture sur la table et rappelle-toi son origine. Conscient qu'elle est un cadeau de la terre, du ciel et le fruit de beaucoup de travail, tu te sens nourri et protégé par l'univers tout entier. Détends-toi et laisse de côté tous tes projets pour savourer chaque bouchée. Un tel repas nourrit ton corps aussi bien que ton mental, et cela t'apportera encore plus d'énergie. Faire la vaisselle, nettoyer la table après le repas peut devenir une joie avant de passer à autre chose dans la journée.

Si tu es à table avec d'autres personnes chez toi, à la cantine ou au restaurant, regarde-les, respire tranquillement et souris en les reconnaissant et en appréciant leur présence. Tu peux, par exemple, dire à la personne en face de toi : « *Je suis tellement content de déjeuner avec toi !* » ou bien, « *qu'il fait beau aujourd'hui, n'oublie pas de faire un tour dans le jardin ou dans le parc pour te détendre, chéri* » ou bien encore, « *je m'arrangerai pour rentrer plus tôt aujourd'hui et je t'aiderai à préparer le dîner* », etc. Tu dis de telles paroles parce que tu reconnais la présence précieuse de ton bien-aimé et de ceux qui t'entourent. C'est la pratique de la pleine conscience. Dès que tu es en pleine conscience, tous les échanges du repas vous aident, toi et tes proches, à reconnaître et à chérir toutes les conditions de bonheur que vous avez.

Gérer tes énergies d'habitude

Les énergies d'habitude sont des mauvaises habitudes qui nous empêchent d'être maître de nous-même. La première d'entre elles à reconnaître est celle qui nous pousse à constamment *courir vers le futur*. Cette habitude a probablement été transmise par nos parents et nos ancêtres. Emportés par les soucis, nous sommes incapables de vivre profondément et avec bonheur dans le moment présent. Au plus profond de notre cœur, nous croyons que nous ne pouvons être heureux pour l'instant, qu'il nous manque encore quelques conditions pour l'être vraiment. Nous réfléchissons, nous planifions, nous rêvons de ces « conditions de bonheur » que nous pourrions avoir dans l'avenir ; et nous courons sans cesse vers l'avenir, même dans notre sommeil. Nous avons trop de soucis, trop de peurs parce que nous ne savons de quoi notre futur sera fait. Ces soucis, cette anxiété nous empêchent d'apprécier le moment présent.

La pratique, ici, c'est de ramener ton esprit au moment présent. Comment faire pour reconnaître cette habitude chaque fois qu'elle t'emporte ? Il suffit de respirer en

Ma chère
énergie
d'habitude,
je te vois !

pleine conscience et de lui sourire : « *Tiens, tu m'emportes encore une fois !* ». Quand tu arrives à la reconnaître, elle te lâche et tu es à nouveau libre de vivre le moment présent dans la joie et la paix.

Au commencement de la pratique, il te faudra reconnaître plusieurs fois par jour cette énergie d'habitude. Vivre heureux dans le moment présent est une autre sorte d'habitude, une bonne habitude. Il faut de l'entraînement pour l'acquérir. Focalise toute ton attention sur ce que tu fais en te brossant les dents, en t'habillant, en te douchant, en conduisant, en marchant... pour trouver la paix, la joie et le bonheur dans ces moments mêmes. Quand tu pratiques la respiration consciente, ta capacité à reconnaître tes habitudes se développe et chaque fois que tu les reconnais, tu deviens maître de toi-même. C'est déjà le début de ta libération, de ta paix et de ton bonheur.

Cette pratique s'appelle *la reconnaissance simple. « Ma chère énergie d'habitude, je te vois. Je sais que tu es là.»* Tu n'as pas besoin de la combattre, de la réprimer. Il suffit de la reconnaître. La pleine conscience est l'énergie capable de reconnaître tout ce qui se passe, y compris ton énergie d'habitude.

Tu es libre
d'être là

Briser la prison du passé

Bien des personnes sont rongées par les pensées et souvenirs du passé. Leurs regrets, leur colère, leur rancune et leurs souffrances les condamnent à être emprisonnées à vie dans leur douloureux passé. Elles ne sont pas libres de vivre en paix dans le moment présent. En réalité, le passé n'est plus ; tout ce qui en reste ce sont des impressions et des images enfouies dans la profondeur de la conscience. Pourtant, celles-ci peuvent continuer à nous hanter, nous emprisonner et affecter notre comportement dans le présent. Elles nous poussent à dire et à faire ce que nous ne voulons pas forcément dire ou pas forcément faire. Nous perdons ainsi toute notre liberté.

La pleine conscience nous permet de voir clairement que ces dangers, cette souffrance, cette méchanceté que nous avons dû endurer dans le passé ne sont plus là et que nous pouvons vivre en sécurité maintenant. En respirant en pleine conscience, nous réalisons que ces impressions et ces images ne sont pas la réalité. Cette simple prise de conscience nous libère des griffes de ces obsessions.

C'est comme lorsque tu prends l'avion : la ceinture de sécurité t'empêche, lors des turbulences, d'être propulsé contre les parois. La respiration consciente est ta ceinture de sécurité pour la vie quotidienne. Elle te permet d'être en sécurité dans le moment présent. Si tu sais pratiquer la respiration consciente, la méditation assise, la marche méditative, tu as alors ta ceinture attachée et tu es toujours en sécurité. Tu es libre d'être là pour être en contact avec la vie, sans être contrôlé par les fantômes de la souffrance et les dangers des événements qui sont déjà passés.

Si dans le passé, tu as souffert de la méchanceté d'autrui, ou si tu as été sexuellement abusé, tu dois savoir comment pratiquer, pour voir à chaque instant que même si cela a effectivement eu lieu, c'est fini ; tu n'es plus en danger ; maintenant, tu es en sécurité. Reconnaître ces fantômes du passé pour ce qu'ils sont, leur dire qu'ils ne sont que des fantômes, qu'ils ne sont pas la réalité, est le moyen de te libérer de la prison du passé. En pratiquant la respiration, la marche, l'assise et le travail en pleine conscience pendant quelques semaines, tu réussiras et tes traumatismes anciens ne te hanteront plus.

Marcher en pleine conscience

Marcher en pleine conscience est une pratique merveilleuse qui nous aide à être totalement présents à chaque instant de la vie quotidienne. Chaque pas attentif nous met en contact avec les merveilles de la vie qui sont là, maintenant. Tu peux combiner ta respiration avec tes pas et marcher naturellement sur le trottoir, à la gare ou au bord d'une rivière, où que tu sois. En inspirant, tu peux faire deux pas et contempler « *Je suis chez moi, je suis arrivé* ».

Je suis chez moi signifie que je suis déjà là où je veux être ; je suis avec la vie. Je n'ai plus besoin de courir, de chercher quoi que ce soit. *Je suis arrivé* signifie que je suis arrivé à ma vraie demeure, c'est-à-dire la vie dans le moment présent. Seul le moment présent est la réalité. Le passé et le futur ne sont que des fantômes capables de te noyer dans les regrets, la souffrance, le souci et l'angoisse. Si tes pas te ramènent au moment présent, ces fantômes n'auront plus aucun pouvoir sur toi.

En expirant, tu peux faire trois pas et répéter encore en toi-même « *Je suis chez moi, je suis arrivé* ». La vie merveilleuse est là, disponible. Tu n'as plus besoin d'errer en

Chacun
de tes pas
te ramène
à la vie

vaines recherches. Marcher ainsi, c'est s'arrêter. Dans le zen, l'arrêt, *samatha* en sanskrit, c'est la méditation. Quand tu réussis à t'arrêter, tes parents, tes grands-parents et tous tes ancêtres en toi s'arrêtent également. Ainsi quand tu fais un pas en liberté, tous tes ancêtres présents dans chaque cellule de ton corps, font de même avec toi. Si tu peux arrêter de courir et faire des pas en toute liberté, tu pourras alors exprimer l'amour le plus réel et le plus concret à tes parents et à tous tes ancêtres.

Je suis chez moi,
Je suis arrivé.
Il n'y a qu'ici
Et maintenant.
Bien solide,
Vraiment libre,
Je prends refuge en moi-même.

Ce poème du zen t'aide à demeurer solidement dans le moment présent. Saisis bien ces mots, et tu pourras établir totalement ta présence dans l'ici et maintenant. C'est comme de tenir la rampe en montant les escaliers : tu ne tomberas pas.

« *Il n'y a qu'ici et maintenant* », c'est l'adresse de la vie, ta destination, là où il y a ta vraie demeure, ta paix et ton bonheur, là où tu peux trouver tes amis, tes ancêtres et tes descendants. La méditation te ramène toujours à ce lieu. Chacun de tes pas te ramène à la vie du moment présent.

Essaie de marcher lentement et attentivement, et tu verras ! En inspirant, fais un pas et dis silencieusement « *Je suis chez moi* ». Il faut investir 100 % de ton corps et de ton esprit dans ton pas et ta respiration, pour être vraiment chez toi. Si ta pleine conscience et ta concentration sont solides, tu peux être chez toi à 100 %, où que tu sois.

Si tu n'es pas vraiment chez toi à 100 % ici et maintenant, ne fais plus un seul pas ! Arrête-toi, reste où tu es et respire attentivement jusqu'à ce que tu cesses la course des pensées, que tu sois vraiment chez toi à 100 % dans le moment présent. A cet instant, souris, un sourire de victoire et fais un autre pas en récitant les mots du zen « *Je suis arrivé* ».

Un pas solide est comme le sceau de l'empereur sur un décret ; ton pied imprime sur la Terre le sceau « *Je suis chez moi, je suis arrivé* ». En marchant ainsi, tu génères l'énergie de la liberté et de la solidité. Tu entres en contact avec les merveilles de la vie ; tu es nourri, tu es guéri. Je connais bien des personnes qui ont pu se guérir simplement en pratiquant de tout cœur la marche méditative.

« *Bien solide, vraiment libre* » signifie que tu n'es emporté ni par le passé ni par le futur. Tu es maître de toi-même. Réciter ces mots, ce n'est ni de l'autosuggestion, ni un vœu. Si tu es ancré dans le moment présent, tu as la solidité et la liberté. Tu es bien solide et vraiment libre parce que tu ne cours plus vers l'avenir et que les fantômes du passé et du futur ne peuvent rien te faire. Solidité et liberté sont la fondation du vrai bonheur.

« *Je prends refuge en moi-même* » est l'exercice que le Bouddha a transmis à ses disciples dans leur dernière rencontre avant son entrée dans le nirvana.

Solidité et Liberté
sont la fondation
du Vrai Bonheur

Prendre refuge

Le Bouddha a enseigné l'existence d'un lieu très sûr auquel nous pouvons revenir à tout moment si nous le souhaitons : notre *île du soi*. En toi, il y a une île où tu es en sécurité. Si tu t'y réfugies, tu seras bien protégé des tempêtes de la vie. En sanskrit, *Attadipasaranam* signifie prendre refuge (*saranam*) dans l'île (*dipa*) du soi (*atta*).

Quand tu retournes à ta respiration consciente, tu reviens à toi-même et retrouves la sécurité dans ton île intérieure. Là, tu trouveras tes ancêtres, ta vraie demeure et les Trois Joyaux. Les Trois Joyaux sont le Bouddha, le Dharma et la Sangha. Le Bouddha est l'enseignant qui nous montre la voie dans cette vie ; il peut être Jésus, Mohammed ou toute autre personne que nous considérons comme notre guide. Le Dharma, ce sont les enseignements et la voie de la compréhension et de l'amour, et la Sangha, la communauté spirituelle d'amis qui nous soutient sur ce chemin.

Lorsque tu respires et que tu es conscient de ta respiration, tu commences déjà à prendre refuge, prendre refuge dans ta respiration, dans ton corps, tes sensations, tes perceptions, tes formations mentales et ta conscience.

Ce sont les cinq éléments qui te constituent. Ils s'appellent les cinq agrégats (*skandha* en sanskrit).

La respiration consciente unit tous ces cinq éléments en toi. En respirant consciemment, tout ton corps, tes sensations, tes perceptions, tes formations mentales et ta conscience rentrent en contact avec cette respiration, comme si, dès que tu ouvres la bouche pour chanter, toute ta famille se taisait pour t'écouter ! La respiration consciente calme et unit le corps et l'esprit et crée de l'harmonie entre les cinq agrégats. En cet instant même, *l'île du soi* se manifeste comme un lieu de refuge pour les cinq agrégats. Voici la version complète du poème :

Je reviens en moi-même
Et prends refuge dans mon île intérieure.
Ma pleine conscience est le Bouddha
Me montrant le chemin.
Ma respiration est le Dharma
Protégeant corps et esprit.
Mes cinq agrégats sont la Sangha
Vivant en harmonie.
J'inspire, j'expire.
Je me sens frais comme une fleur,

Solide comme une montagne,
Calme comme l'eau reflétant
Ce qui est vrai et beau,
Libre comme l'espace.

Tu peux mettre ce poème en pratique dans les moments de danger, de difficulté quand tu as besoin d'être calme pour savoir ce qu'il faut faire et ne pas faire. Imagine qu'assis dans l'avion, soudain, tu apprennes que des pirates de l'air menacent l'équipage. Au lieu de paniquer et de rendre la situation encore plus dangereuse par tes réactions maladroites, retourne immédiatement à ta respiration consciente et mets ce poème en pratique.

La présence de la pleine conscience est semblable à celle du Bouddha qui t'éclaire et te permet de savoir ce qu'il faut faire et ne pas faire. La respiration consciente est la présence du Dharma authentique qui protège ton corps et ton esprit. Tes cinq agrégats prennent refuge dans le Bouddha et le Dharma et ils sont sous la protection de ceux-ci. Le Bouddha et le Dharma représentent également la Sangha, parce qu'ils sont en harmonie et en paix. La respiration les a harmonisés en une seule unité. Protégé par le Bouddha, le Dharma et la Sangha, tu n'as plus à t'inquiéter. Dans cet état bien calme, tu agiras de manière appropriée pour sauver la situation.

Dans les situations plus ordinaires, pratiquer ce poème t'apporte solidité, paix et bonheur. C'est la pratique concrète de la prise de refuge dans les Trois Joyaux, parce qu'en pratiquant ainsi, l'énergie du Bouddha, du Dharma et de la Sangha est réellement présente en toi. Aucune autre sécurité n'est plus fiable. Même si tu dois mourir, tu mourras en paix.

Comme une fleur fraîche

Pour être heureux, nous avons besoin d'une certaine fraîcheur. Notre fraîcheur peut aussi rendre les autres heureux. Nous sommes vraiment des fleurs dans le jardin de l'humanité. Il suffit de regarder un enfant jouer ou dormir pour voir qu'il est une vraie fleur. Son visage est une fleur, sa main en est une, son pied en est une autre et sa bouche également. Nous tous avons été des fleurs comme lui ; mais peut-être nous sommes-nous laissé noyer par toutes les complications de la vie et nous avons perdu beaucoup de notre fraîcheur. Si tu as beaucoup pleuré, tes yeux ne sont plus aussi clairs qu'avant, n'est-ce pas ?

Ne pleure plus, ne te plains plus,
C'est le dernier poème triste.
Arrête de te plaindre
Et probablement ton âme se rafraîchira.
Lorsque tu ne pleureras plus,
Tes yeux redeviendront plus clairs.

Inspire s'il te plaît, détends-toi et souris. Les crispations, les affaissements de ton visage s'effacent et le sourire sur tes lèvres va t'aider à retrouver la fraîcheur de ta fleur. A travers les siècles, les sculpteurs ont essayé d'exprimer le sourire calme, frais et compatissant sur le visage du Bouddha.

Ton visage est constitué de douzaines de muscles. Chaque fois que tu as des soucis, de la colère ou de l'angoisse, ces muscles se crispent et tu n'es pas du tout attirant. Si en inspirant, tu es conscient de ces tensions, alors quand tu expires, tu pourras les détendre un peu et sourire. En continuant ainsi, ces tensions s'effaceront au rythme de ta respiration et tu retrouveras donc la fraîcheur de la fleur de l'humanité, déjà présente en toi. Te calmer, te détendre, rétablir la fraîcheur, c'est la pratique de l'arrêt dans la méditation.

J'inspire, je me vois comme une fleur,
J'expire, je me sens frais.

Solide comme une montagne

Sans solidité, nous ne pouvons pas avoir la paix et le bonheur. Quand notre corps et notre esprit sont instables, nous devenons agités et les autres sentent qu'ils ne peuvent avoir confiance ou prendre refuge en nous. C'est pourquoi, la pratique, qui apporte la stabilité et la solidité à notre corps et à notre esprit, est essentielle.

Tu peux établir la solidité intérieure avec la respiration consciente, dans une position assise solide. Dans la posture du lotus, c'est plus facile pour ton corps et ton esprit de se stabiliser, surtout quand tu sais comment maîtriser ta respiration pour harmoniser tes cinq agrégats. En focalisant ton attention sur ta respiration, tu bâtis une fondation solide pour reconnaître, accepter et embrasser tes sensations et tes émotions. Calme et lucide, tu sauras utiliser ton intelligence et ton amour, tu trouveras les moyens pour sortir de tes difficultés dans la vie quotidienne. Tu auras davantage confiance dans tes propres capacités, ce qui fortifiera ta solidité.

Solide comme
une Montagne

J'inspire, je m'assieds aussi solide qu'une montagne.
J'expire, je ressens la stabilité en moi.

La pratique de la prise de refuge dans ton île intérieure t'aide aussi à développer la solidité en toi. Tu as un chemin spirituel, et tu sais que tu es sur ce chemin ; alors tu n'as plus peur de rien. Cela te rendra encore plus solide. Ton chemin est le chemin de la pleine conscience, de la concentration et de la vision profonde. C'est celui des Cinq Entraînements à la Pleine Conscience : le respect de la vie, le partage du temps et des biens avec ceux qui en ont besoin, la protection de soi et des autres face aux comportements sexuels irresponsables, la pratique de la parole aimante et de l'écoute profonde, et enfin la consommation en pleine conscience pour le bien de ton corps et de ton esprit (voir appendice).

Calme comme l'eau tranquille

L'eau tranquille est l'image d'un esprit calme. L'esprit est calme lorsqu'il n'est pas remué par les formations mentales telles que la colère, la jalousie, la peur, le souci… Visualisons la surface d'un lac calme dans les Alpes, reflétant le ciel, les nuages et la montagne, si clairement et distinctement, que nous pouvons prendre une photo du ciel en focalisant l'objectif sur la surface de l'eau. Quand ton esprit est calme, il peut également refléter la réalité des choses telle qu'elle est, sans distorsion. La respiration, l'assise et la marche en pleine conscience peuvent calmer les formations mentales de colère, de peur, de désespoir et te permettent de voir la réalité plus clairement.

Dans le Discours de la Pleine Conscience de la Respiration, le Bouddha a offert un exercice appelé « calmer la formation mentale ». La formation mentale signifie ici l'état mental négatif comme la colère, l'angoisse ou le souci, etc. « *J'inspire, je reconnais cette formation mentale en moi* ». Tu peux l'appeler par son vrai nom : « *Ceci est l'irritation* », ou « *ceci est l'anxiété* »… Tu n'as pas besoin de la juger, de lui faire des reproches, de la combattre ou de la chasser. Il suffit simplement de reconnaître sa présence. Ne cherche pas à t'y attacher ni à la rejeter.

« *J'inspire, je calme la formation mentale en moi* ». C'est en reconnaissant une formation mentale avec ta respiration consciente que tu seras capable de l'embrasser et de la calmer. Cet exercice est similaire à celui que tu as appris auparavant pour calmer ton corps, pour relâcher la tension et soulager les douleurs du corps. Cet exercice a été enseigné par le Bouddha lui-même dans le Discours de la Pleine Conscience de la Respiration[1].

Il s'agit d'être pratiquant, et non pas de devenir un érudit, de mettre en pratique la méditation dans notre vie quotidienne au lieu d'étudier intellectuellement des théories. Entraîne-toi à calmer tes formations mentales et tes émotions aussitôt qu'elles surgissent. Alors dans ce cas seulement, tu pourras être maître de ton corps et de ton esprit et tu ne feras plus de mal ni à toi-même, ni aux autres, y compris aux personnes que tu aimes.

---

[1] Pour le texte entier, les explications détaillées et les commentaires sur ce discours, voir Thich Nhât Hanh, *La Respiration essentielle*, Albin Michel, 1996.

Gérer ta colère

Quand l'irritation ou la colère monte, retourne immédiatement à ta respiration ou à tes pas pour générer l'énergie de la pleine conscience. Utilise la pour reconnaître et prendre soin de ta colère :

J'inspire, je sais que la colère monte en moi.
J'expire, je prends bien soin de ma colère.

En faisant cet exercice, tu continues à générer l'énergie de la pleine conscience pour reconnaître et embrasser ta colère. Ne laisse jamais cette dernière se manifester seule, sans surveillance. Invite toujours l'énergie de la pleine conscience à en prendre soin. La pleine conscience est comme une maman qui prend dans ses bras son bébé qui pleure. Quand la maman se penche sur son petit enfant et le prend tendrement dans ses bras, le bébé commence tout de suite à se sentir mieux et il cesse de pleurer. De même, enveloppée par l'énergie de la pleine conscience, la colère commence tout de suite à se calmer.

Je te prie de suivre cette pratique chaque fois que tu sens la colère monter en toi. Ne dis rien. Ne réagis pas. Retourne simplement à ta respiration pour prendre soin de ta colère. Comme dans un incendie, tu ne cherches qu'à éteindre le feu et non à poursuivre celui que tu soupçonnes d'être l'incendiaire, n'est-ce pas ?

Lorsque la colère commence à se calmer, tu peux regarder profondément ses racines. Peut-être a-t-elle été déclenchée par une perception erronée : tu es convaincu que l'autre personne a fait ou dit quelque chose pour te faire du mal, alors qu'elle n'en avait pas l'intention. Après un moment de réflexion, il t'arrive de reconnaître cette perception erronée et ta colère cesse naturellement. Si au bout de 24 heures, tu ne réussis toujours pas à t'en sortir, il faut le lui faire savoir. Si tu n'arrives pas à le lui dire calmement en personne, tu peux lui glisser une note. Voici les trois choses à lui communiquer :

1. Je suis fâché contre toi, je veux que tu le saches.
2. J'essaie de faire de mon mieux.
3. Aide-moi, s'il te plaît.

Une fois que tu arrives à écrire ces trois lignes, tu te sens déjà mieux, même si le message n'est pas encore envoyé.

Quand tu es en colère et que tu souffres, il faut le dire franchement à l'autre personne. Pourquoi lui dire le contraire ? Ta responsabilité est de le lui faire savoir. L'autre personne peut être ton père, ta mère, ton frère, ta sœur, ton compagnon, ton enfant, ton ami ou un collègue. Sachant que tu souffres, que tu es en colère, il ou elle a alors l'occasion de regarder en arrière : « *Qu'ai-je dit, qu'ai-je fait pour le, la mettre en colère ?* » Ces trois lignes sont alors une invitation habile à l'autre personne pour pratiquer aussi le regard profond. Elle te respectera parce que tu ne te comportes pas comme la majorité : quand tu es en colère, tu sais retourner à ta respiration consciente pour te calmer et contempler la situation.

La troisième ligne est la plus difficile à dire ou à écrire parce qu'en colère, tu as tendance à vouloir punir et prouver que tu n'as pas besoin de l'autre personne. Mais ici, tu as le courage de lui demander de l'aide. Tu sais qu'en réalité, tu as besoin d'elle et tu ne laisses pas ton amour-propre barrer le chemin. Ainsi, dès que tu finis de dire ou d'écrire cette troisième phrase, tu te sens déjà soulagé.

S'il te plaît, recopie ces trois lignes sur un morceau de papier de la taille d'une carte bancaire et glisse-le dans ton portefeuille. Quand tu es fâché, surtout contre la personne que tu aimes le plus, sors-le pour le lire. Même si tu es encore sous l'emprise de la colère, tu sauras alors ce qu'il faut faire et ne pas faire. Des milliers de personnes ont suivi cette méthode et ont pu se réconcilier. Je te souhaite bonne chance !

Traverser une tempête

Il y a des jeunes qui sont incapables de gérer leurs émotions fortes comme la colère, le désespoir... et ils se suicident. Ils sont convaincus que le suicide est le seul moyen pour mettre fin à leur souffrance. Selon les estimations de l'Organisation Mondiale pour la Santé (OMS), en l'an 2000, une personne met fin à sa vie toutes les 40 secondes, et c'est une des premières causes de mortalité chez les jeunes de 15 à 35 ans. En 50 ans, le suicide des jeunes a triplé ! En France, 33 personnes se suicident chaque jour[1]. Pourtant dans les écoles, personne n'enseigne aux jeunes comment gérer une émotion.

Si nous pouvons leur montrer comment se calmer et se libérer des griffes de la pensée suicidaire, ils auront une chance de revenir à la vie et de l'embrasser à nouveau. Mais il faut maîtriser la pratique avant d'essayer de la leur montrer. N'attends pas qu'une émotion te submerge pour commencer à pratiquer. Commence la pratique dès

---

1 Fiche réalisée par l'Union nationale de Prévention du Suicide (UNPS), voir *Le suicide en France : état des lieux* - Doctissimo

maintenant. Plus tard, lorsqu'une émotion surgira, tu te souviendras de la pratique.

Il faut d'abord savoir qu'une émotion est seulement une émotion, même si c'est une émotion forte. Une personne est beaucoup plus qu'une émotion. Composé des cinq agrégats, notre territoire est très vaste : corps, sensations, perceptions, formations mentales et conscience. Une émotion n'est que l'une des 51 formations mentales. Elle vient, elle reste un moment, puis elle s'en va. Pourquoi faudrait-il mourir à cause d'une émotion ?

Ne vois-tu pas qu'une émotion est comme une tempête ? Si tu sais comment te protéger, tu seras en sécurité même au cœur d'une tempête. Une tempête peut durer une heure, quelques heures ou une journée. Si tu maîtrises la pratique, tu pourras la traverser sans difficulté.

Assieds-toi dans la posture du lotus ou bien allonge-toi sur le dos. Tu peux commencer à respirer avec le ventre. Respire profondément et focalise toute ton attention sur ton abdomen. Sens ton abdomen se soulever à l'inspir et s'abaisser à l'expir. Arrête toute pensée. Ne pense qu'à respirer. Dans une tempête, la cime de l'arbre est la partie qui casse le plus facilement. Le tronc est plus solide, parce qu'il a beaucoup de racines profondément ancrées dans la terre. La cime représente ta tête et tes pensées : quitte donc la cime, descends jusqu'aux racines pour devenir plus solide. Les racines sont ton abdomen. Un peu en dessous de ton nombril, il y a un point d'énergie que la médecine chinoise appelle *tantien*. Concentre-toi sur ce point, respire profondément, ne pense à rien et tu seras en sécurité pendant que la tempête d'émotions se déroule. Chaque jour, pratique 5 minutes. Au bout de trois semaines, tu auras acquis cette habitude et quand l'émotion viendra, tu auras le réflexe de la pratique.

Après avoir, intact, traversé une tempête, tu auras plus de confiance. Tu te diras : « *La prochaine fois, si elle revient, je n'aurai plus peur parce que je saurai comment faire* ». Tu pourras aussi montrer aux enfants cette méthode pour qu'ils puissent également profiter de ce sentiment de sécurité procuré par la pratique de la respiration avec le ventre. En tenant la main de l'enfant, demande-lui de respirer avec toi, de se concentrer sur son ventre. Même si c'est un enfant, il peut déjà connaître des émotions fortes. Il est bon pour lui d'apprendre à respirer pour les surmonter. Au début, il a besoin de ton aide mais plus tard, il pourra le faire par lui-même. Si tu es enseignant, enseigne cette pratique à tes élèves. Parmi eux peut-être, certains suivront cette méthode et plus tard quand la tornade d'émotions les secouera, ils ne se suicideront pas. Ainsi, tu leur auras sauvé la vie.

Cette pratique dans la posture assise est la meilleure, mais tu peux aussi t'allonger si tu préfères. Dans ce cas, tu peux te mettre une bouillotte sur le ventre pour plus de confort.

Libre comme l'espace

L'espace représente la liberté. Sans elle, comment le bonheur serait-il possible ? Alors, qu'est-ce qui t'empêche d'être libre ? L'anxiété, trop de travail, la jalousie… ?

Tu penses peut-être que le succès associé au pouvoir, à la renommée et à l'argent est la fondation du bonheur. Mais, en observant autour de toi, tu verras que bien des personnes riches, célèbres et puissantes ne sont pas heureuses. Pourquoi ? Parce qu'elles ne sont pas libres.

Tu as beaucoup à faire et tu veux réussir dans tous les domaines. Il n'y a rien de mal à cela, mais il faut t'organiser pour que ton travail t'apporte vraiment de la joie chaque jour. Ne te perds pas dans ton travail et ne le laisse pas te rendre soucieux, irrité ou souffrant. Travaille dans la liberté. Ménage-toi du temps pour prendre soin de toi-même et des personnes que tu aimes. Donne-toi du temps pour aimer. Quand je parle d'amour ici, je ne parle ni de passion ni de désir. Aimer signifie prendre le temps d'être là pour les autres, de leur apporter du bonheur et de soulager leur chagrin ou leur souffrance.

Le cadeau le plus précieux que tu puisses offrir aux personnes que tu aimes est l'espace, l'espace dans leur cœur et l'espace autour d'elles. Ne te laisse pas submerger par tes occupations, l'anxiété et la souffrance. Laisse les soucis de côté et vis heureux. C'est un art. Ce qui n'est pas vraiment important, ce qui ne t'apporte pas de bonheur, apprends à t'en délester. Lâche prise et tu auras plus d'espace.

Imagine une personne qui va régulièrement au marché aux puces et ramène tout ce qui est bon marché, même ce dont elle n'a pas besoin. Elle achète simplement parce que cela ne coûte pas cher. En quelques semaines, son appartement est tellement bondé que chaque fois qu'elle se déplace dans cet appartement, elle heurte des objets. Elle n'a plus d'espace pour vivre. C'est la même chose pour la vie intérieure. Si tu as trop de soucis, de peurs et de doutes dans ton cœur, tu n'auras plus d'espace pour vivre. Il faut apprendre à lâcher prise.

J'inspire, je me vois comme l'espace.
J'expire, je me sens libre.

Dans le bouddhisme, le lâcher-prise est une pratique qui génère la joie et le bonheur. Assieds-toi et fais un inventaire. Tu as accumulé beaucoup de choses, et parmi elles, certaines sont inutiles. De plus, elles t'empêchent d'être libre. Prends ton courage à deux mains, et sépare-t-en. Ton bateau, surchargé, pourra être facilement renversé par les vents et les marées. Il faut l'alléger. Ainsi, il avancera plus vite et arrivera sain et sauf. Tu peux offrir cet espace et cette liberté à tes proches, mais seulement si toi-même les as dans ton cœur.

Comprendre et aimer

Une autre pratique, la contemplation avec bonté aimante et compassion, est capable de t'apporter beaucoup de liberté et de bonheur. La bonté aimante signifie offrir le bonheur à autrui et la compassion, soulager sa souffrance. La clé qui ouvre la porte de la bonté aimante et de la compassion est ta capacité de comprendre tes propres difficultés et ta souffrance, ainsi que celles d'autrui. En voyant et comprenant tes difficultés et ta souffrance, tu pourras facilement voir et comprendre celles d'autrui. Ou bien en comprenant les leurs, il te sera plus facile de comprendre les tiennes.

Dans le bouddhisme, on parle souvent des Quatre Nobles Vérités :

1. Le mal-être existe.
2. Le mal-être existe parce qu'il y a des causes.
3. La fin du mal-être est possible.
4. Il existe une voie menant à la fin du mal-être[1].

---

1 Pour en savoir plus sur les Quatre Nobles Vérités, voir Thich Nhât Hanh, *Le cœur des enseignements du Bouddha*, La Table Ronde, 2000.

En reconnaissant tes propres difficultés et celles d'autrui (la première vérité), en les regardant profondément ensuite, pour identifier leurs causes (la deuxième vérité), tu trouves un chemin pour t'en sortir, le chemin de la libération (la quatrième vérité). Tu as alors confiance en la possibilité d'une transformation et de la fin du mal-être (la troisième vérité).

Je voudrais te donner un exemple : un père a beaucoup de difficultés et de souffrance sans en être conscient. Comme il ne reconnaît pas son propre mal-être (la première vérité), il ne cherche pas à comprendre ce dernier pour identifier ses causes (la deuxième vérité). En ignorant la première et la deuxième vérité, comment pourra-t-il trouver la quatrième, c'est-à-dire le chemin pour s'en sortir ? Ainsi, il est incapable de gérer sa souffrance et il fait souffrir son enfant.

Le père a peut-être été maltraité et abusé dans son enfance par son propre père, le grand-père. Le grand-père a déversé toute sa colère et sa souffrance sur lui. Maintenant, le père de l'enfant se comporte exactement comme le grand-père dans le passé. La souffrance se transmet ainsi de génération en génération et le cercle du samsara tourne encore et encore. Le père n'a pas identifié les causes de son mal-être. Il croit que l'enfant est à l'origine de sa souffrance, et qu'en faisant souffrir son enfant, cela le soulagera. En réalité, c'est tout le contraire. Quand le père fait souffrir son enfant, il se fait également souffrir. Maintenant, il est temps pour l'enfant, devenu adulte, de pratiquer comme ceci :

J'inspire, je me vois à l'âge de 5 ans.

J'expire, je souris à cet enfant de 5 ans qui est encore présent, vivant en moi.

J'inspire, je vois cet enfant en moi, vulnérable, plein de blessures.

J'expire, je l'embrasse avec toute ma compréhension et mon amour.

C'est le commencement de cette pratique. Reviens en toi-même pour reconnaître l'enfant en toi, pour l'écouter, lui parler et l'embrasser. Pendant si longtemps, tu as été trop occupé et tu ne t'es pas donné l'occasion de le faire. Maintenant, fais-le et voilà, le processus de guérison commence.

Reconnaître ton père et ta mère en toi

Après avoir réussi l'exercice précédent, tu pourras continuer ainsi :

J'inspire, je vois mon père comme un petit garçon de 5 ans.
J'expire, je souris à ce petit garçon qui est mon père.

Peut-être n'as-tu jamais visualisé ton père comme un petit garçon de 5 ans. La vérité est qu'à cette époque, il était aussi vulnérable que n'importe quel petit garçon.

J'inspire, je vois mon père à l'âge de 5 ans, fragile, vulnérable et
*   plein de blessures.*
J'expire, je regarde ce garçon blessé avec toute ma compréhension et
*   mon amour.*

Tu peux faire le même exercice avec ta mère. Nombreux sont ceux qui ont des difficultés dans leur relation avec leurs parents. Peut-être ne t'es-tu encore jamais rendu compte que cet enfant de 5 ans, qui est devenu ton père ou ta mère, n'est pas uniquement présent en ton père ou ta mère, mais aussi en toi, maintenant. Le petit garçon plein de blessures dans le père adulte et le garçon de 5 ans qu'était ton père autrefois sont tous les deux devenus toi-même. Ton père comme ta mère ne t'ont transmis rien de moins que leur être tout entier. En vérité, toi et ton père, vous n'êtes pas deux personnes différentes, même si vous n'êtes pas non plus la même. Il en est de même avec ta mère. Voilà la vision profonde appelée *ni identique, ni différent*[1].

Une fois que tu arrives à embrasser l'enfant de 5 ans en toi, tu peux faire de même avec l'enfant intérieur de ton père et vice versa. Ainsi, la transformation aura lieu très rapidement. Si ton père avait connu cette pratique autrefois, il n'aurait causé de souffrance ni à toi, ni à lui-même. Mais il n'a pas eu cette chance. C'est pourquoi tu devrais pratiquer pour toi et pour ton père en toi. La transformation de ton père en toi déclenchera la transformation de ton père extérieur à toi. Bien des personnes ayant des difficultés avec leur père ou leur mère ont suivi ces exercices et ont réussi à se transformer et à transformer leurs parents. En agissant ainsi, tu pourras éviter de reproduire les mêmes erreurs avec tes enfants, et le cercle du samsara s'arrêtera enfin.

1 Pour en savoir plus sur cet enseignement, voir Thich Nhât Hanh, *Il n'y a ni mort ni peur – Une sagesse réconfortante pour la vie*, La Table Ronde, 2002.

La reconnaissance et la compréhension profonde de la souffrance et de ses causes apportent acceptation et amour. Aussitôt que tu as l'acceptation et l'amour dans ton cœur, tu te sens beaucoup mieux et tu peux aider d'autres personnes à se transformer. Il peut s'agir de ton oncle, de ta tante, de ton frère, de ta sœur, de ton ami ou ton collègue.

Il y a une formation mentale en toi qui s'appelle *compréhension*. Quand la compréhension profonde est là, la situation change immédiatement. La compréhension signifie d'abord la compréhension de la souffrance et de sa nature. En suivant cet exercice, tu pratiques le regard profond et tu développes la compréhension en toi. Il faut laisser la compréhension imprégner toutes les activités de ton esprit. Mais parfois, tu oublies ou bien tu ne veux pas utiliser ta compréhension, surtout quand la passion t'envahit. Alors, la pleine conscience doit intervenir. La pleine conscience est la formation mentale la plus essentielle à la pratique. Rappelle-toi qu'elle apporte toujours la compréhension. Tu en as besoin. Avec la compréhension, tu pourras progresser vers plus d'acceptation, de pardon, d'amour et de bonheur. Sans elle, tu iras dans la direction de la colère, de la jalousie et de la souffrance.

Les archives de ta conscience du tréfonds

Tout ce que nous voyons, entendons, pensons, expérimentons est conservé dans les profondeurs de notre conscience, appelées dans la psychologie bouddhiste *conscience du tréfonds*. La conscience du tréfonds, qui est l'équivalent du *subconscient* dans la psychologie occidentale, reçoit, gère et préserve toutes les informations comme des archives. Ta souffrance, ton bonheur, tes soucis, ta peur et tes frustrations sont tous conservés dans cette énorme réserve d'archives. C'est le disque dur de ton ordinateur mental. Les formations mentales telles que l'anxiété et les attentes ne se manifestent peut-être pas encore, mais elles sont présentes dans les profondeurs de ta conscience sous forme de graines et te suivent toujours. La psychologie bouddhiste les appelle *les compagnons dormants* (*anusaya* en sanskrit).

Ces graines, bien que *dormantes*, ne restent pas tranquilles. Elles sont toujours prêtes à se réactiver, à surgir et à prendre le dessus. Elles poussent pour sortir des archives de la conscience du tréfonds pour réapparaître comme des films d'expériences passées projetés sur l'écran de la conscience du mental. Elles t'emportent dans des événements passés et t'empêchent de rester avec la vie, dans le moment présent. Ce que tu vois et entends maintenant peut être le déclencheur qui ouvre la porte des archives et permet aux vieilles histoires de surgir et de prendre le contrôle. Tu perds ainsi le contact avec ce que tu vois et entends réellement, dans le moment présent. Tu finis par passer le plus clair de ton temps dans le monde des souvenirs, au lieu de vivre dans celui de la réalité. Le monde de la réalité est très loin du monde de ta mémoire, et pourtant, tu as l'illusion qu'il s'agit du même monde.

La nuit dans tes rêves, les films des archives se mettent souvent en route. Parce que les *graines dormantes* sont multiples et variées, le contenu de ces films est parfois sans queue ni tête, même s'il vient de la même réserve d'archives. Dans le rêve, tu vis dans le suspens, l'angoisse, l'amour, la haine, le désespoir, etc. Tu t'y déplaces comme une personne incarnée et tu crois que tout est réel. Puis au réveil, tu réalises que tu étais au lit endormi tout ce temps. Tout ce monde dans le rêve et la personne en mouvement n'étaient que la production de ta conscience. Tout a été construit à partir des archives de la conscience du tréfonds.

Dans la journée, bien que tu sois réveillé, il est possible que tu entres plusieurs fois dans ce monde illusoire, le monde de la conscience du tréfonds, parfois pendant quelques secondes seulement, parfois une heure entière. En fait, il est rare que tu sois *vraiment* en contact avec le monde de la réalité, et ta vision de ce monde est fortement influencée par tes archives de la conscience du tréfonds. C'est pourquoi la pratique de la respiration et de la marche en pleine conscience te ramène au monde de la réalité, te permettant de rester en contact avec les merveilles de la vie dans le moment présent, de nourrir et de guérir ton corps et ton esprit[1].

Chaque pas est un miracle.
Chaque pas me nourrit.
Chaque pas me guérit.
Chaque pas est la liberté.

1 Pour en savoir plus sur la conscience du tréfonds dans la psychologie bouddhiste, voir Thich Nhât Hanh, *Pour une métamorphose de l'esprit*, La Table Ronde, 2006.

Te détacher de ce qui est tien

De nombreuses personnes n'ont pas la capacité de se détacher de leurs souffrances du passé ou de leur souci du futur pour vivre en pleine liberté dans le moment présent. La lune et les étoiles brillent, les cloches sonnent dans la campagne au loin, les oiseaux chantent dans les arbres du square, les quatre saisons se succèdent... Mais ces personnes ne voient rien de tout cela. Il semble qu'elles soient plus à l'aise dans le monde douloureux de leur passé.

Pour être libre, il faut d'abord sortir de cette prison du passé. Il faut du courage pour rompre les amarres des vieilles habitudes et des conforts familiers. Ces conforts ne te rendent pas forcément heureux mais tu t'y es tellement habitué que tu ne peux plus t'en détacher. Pourquoi faut-il, selon l'expression vietnamienne, « rentrer te baigner dans ton étang », même s'il est tout boueux ? Parce qu'il est le tien ? Pourquoi te priver des lacs aussi clairs que l'eau de roche, des plages de l'océan qui s'étend jusqu'à l'horizon ? Eux aussi sont à toi. Il faut t'entraîner dans la pratique de la pleine conscience pour ne pas laisser l'oubli continuer à te tirer vers le passé ou à te noyer dans l'étang visqueux de la nostalgie, de l'attachement, du remord et des soucis.

Nos pensées ont tendance à reprendre les anciens chemins pour retrouver les souvenirs douloureux et notre mal-être d'autrefois. La pleine conscience et la reconnaissance des pensées nous aident à arrêter cette habitude de retourner sans cesse au passé. Dis à tes pensées : « *Non, je ne veux pas y retourner. Je ne veux pas continuer à me bercer avec ces vieilles chansons tristes* ». Dès que la pleine conscience s'allume, l'oubli se retire.

Méditer, c'est reconnaître les formations mentales telles que la tristesse, la colère, l'attachement, etc. Chaque fois que ces formations mentales se manifestent, que tu les reconnais, les embrasses, et que tu restes maître de toi-même, elles retourneront à leur état initial, comme graines ou images dans la conscience du tréfonds, un peu plus faibles qu'avant.

Générer l'attention appropriée

Nous avons six organes des sens pour être en contact avec le monde extérieur et le monde intérieur : les yeux, les oreilles, le nez, la langue, le corps et le mental. Ils sont comme les périphériques d'entrées/sorties de l'ordinateur. Quand nous sommes en contact avec une image, un son, une odeur, un goût, un toucher ou une pensée et que nous portons notre attention sur lui ou elle, notre mental reçoit un signal. Il passe immédiatement en revue le matériel enfoui dans les archives de la conscience du tréfonds pour trouver tout ce est lié à cet objet des sens. En un clin d'œil, ces archives deviendront les objets de notre esprit, suscitant ainsi des formations mentales telles que le souci, l'angoisse, la souffrance ou le désir.

Comme l'attention dirige notre mental vers un objet de l'un de nos six organes des sens, il faut donc porter notre attention sur les objets qui nous relient aux archives générant les formations mentales positives comme la liberté, la joie, la fraternité, le bonheur, le pardon et l'amour. Cette pratique de choisir les objets d'attention qui nous nourrissent s'appellent *générer l'attention appropriée.* A l'inverse, si nous choisissons les objets qui renvoient à des images et à des souvenirs de souffrance, nous avons *l'attention inappropriée.*

Ton environnement et ton lieu de travail jouent un rôle très important dans cette pratique. Si tu choisis un environnement et un lieu de travail sains, tu seras nourri, guéri et transformé parce que tout ce que tu y entendras, verras, sentiras et toucheras t'aidera à te mettre en contact avec ce qui est bon et merveilleux en toi et dans le monde. La mère du philosophe Mencius a réussi à choisir un bon environnement pour son fils[1]. Toi aussi, fais tout ton possible pour choisir ou créer un bon environnement pour toi et tes enfants. Si tu es homme ou femme politique, enseignant, attaché culturel ou simplement parent d'élève, s'il te plaît, réfléchis bien à ce sujet.

---

1 Veuve, la mère de Mencius élevait seule son fils. Un jour, en tissant une étoffe pour gagner sa vie, elle vit son fils jouer avec ses copains en imitant un abatteur voisin qui égorgeait un cochon. Après avoir vu cela, elle fit tous ses efforts pour déménager dans un autre quartier. Plus tard, ce garçon devint un des philosophes les plus connus du monde.

Éviter l'attention inappropriée

Il y a l'attention appropriée et l'attention inappropriée. L'attention appropriée est la pleine conscience. Tu sais maintenant que la pleine conscience est l'énergie capable de te ramener au moment présent pour reconnaître ce qui se passe réellement. A l'inverse, l'attention inappropriée est l'énergie qui t'emporte dans le passé douloureux et te pousse à t'accrocher à la souffrance, aux peines, aux désirs, à l'angoisse… à tout ce qui est toxique dans les archives dont je t'ai parlé.

Dans le rêve, ce que nous voyons n'est que des images, des objets de notre conscience. Elles n'ont aucune substance. C'est comme lorsque nous prenons une photo de notre petit chien : l'instant où nous appuyons sur le déclencheur de l'appareil photo, l'image du chiot est capturée dans la carte mémoire, figée. En réalité, le chiot lui-même continue à jouer, sauter et aboyer. Cette photo n'est pas le chien ; c'est juste une image. Depuis, le chien a vieilli, il est peut-être mort, mais son image reste à jamais figée, dans notre conscience du tréfonds comme sur la photo.

Quand nous sommes en contact avec la réalité, ce que nous voyons, entendons et touchons directement, est capturé par nos sens et forme des impressions. Ces impressions sont proches de la réalité, même si elles sont plus ou moins colorées par le contenu de notre conscience du tréfonds. Et si nous fermons les yeux pour les laisser réapparaître dans notre mémoire, elles deviennent de simples images.

Ta conscience du tréfonds est pleine d'images et tu veux toujours revenir à certaines d'entre elles. Tu veux y retourner pour te laisser embrasser et bercer par celles-ci, même si elles correspondent à des souvenirs douloureux. C'est ce genre de plaisir morbide qui nous pousse, par exemple, à écouter encore et encore certaines chansons tristes à mourir. Cette habitude n'est pas saine du tout[1].

Quand tu remarques que tu es emprisonné dans une image douloureuse du passé, invite tout de suite l'énergie de la pleine conscience à te venir en aide. Elle te montre ce qui t'arrive : tu es hanté par une ombre du passé. Cette prise de conscience te libère instantanément du mirage et te ramène au monde de la réalité.

---

1 Pour en savoir plus sur l'attention appropriée et l'attention inappropriée, voir Thich Nhât Hanh, *Le Cœur des enseignements du Bouddha*, La Table Ronde, 2000.

La consommation en pleine conscience

La consommation en pleine conscience signifie choisir de consommer uniquement ce qui apporte la paix et le bonheur à notre corps et notre esprit (voir le cinquième des Cinq Entraînements à la Pleine Conscience en l'appendice). En pratiquant la méditation, nous savons comment nourrir notre corps et notre esprit avec les aliments sains et éviter d'ingérer les produits nocifs. Dans le bouddhisme, nous parlons des quatre sources d'aliments : les comestibles, les impressions sensorielles, la volition et la conscience.

1. Les aliments comestibles entrent par la bouche. Nous sommes vraiment ce que nous mangeons ! Tu as déjà entendu dire que, selon le dicton, « *on creuse sa tombe avec ses dents* ». En Asie, les gens disent que « *la maladie vient de ce que nous mangeons.* » Nous savons tous qu'un grand nombre de décès, que ce soit de crise cardiaque, de diabète ou autres, est directement causé par la manière dont nous mangeons. Alors, mange en pleine conscience. Ne te laisse pas séduire par ce qui a bon goût mais nuit à ta santé. Avant de manger, récite les cinq contemplations :

Cette nourriture est le cadeau de l'univers tout entier : de la terre, du ciel, d'innombrables êtres vivants et le fruit de beaucoup de travail.

Mangeons-la en pleine conscience et avec gratitude pour être digne de la recevoir.

Reconnaissons et transformons nos formations mentales négatives, par exemple l'avidité, qui nous empêchent de manger avec modération.

Mangeons de manière à maintenir notre compassion éveillée, à réduire la souffrance des êtres vivants, à préserver notre planète et à inverser le processus du réchauffement planétaire.

Nous recevons cette nourriture parce que nous voulons développer la compréhension et l'amour[1].

Récite-les à haute voix au moins une fois par semaine pour te rappeler cette pratique.

---

1 Pour les pratiquants appartenant à une communauté, la cinquième contemplation peut être : *Nous recevons cette nourriture parce que nous voulons bâtir notre Sangha, cultiver la fraternité et servir tous les êtres.*

La nourriture
est un cadeau
de l'univers
tout entier

2. Les aliments des impressions sensorielles entrent par les yeux, les oreilles, le nez, la langue, le corps et le mental. Les produits comme la musique, les magazines, les films, internet, les jeux vidéo et même les conversations peuvent contenir beaucoup de toxines comme de l'avidité, de la violence, de la haine, des doutes, de l'angoisse, etc. En consommant de tels aliments, tu détruis ton corps aussi bien que ton esprit.

3. La volition est notre motivation pour atteindre un objectif ou réaliser un projet, une aspiration que nous portons en nous jour et nuit. Elle est notre raison d'être et nous apporte beaucoup d'énergie. La méditation consiste à regarder profondément dans la nature de cette volition. Si ton désir vient d'un idéal comme la lutte pour la liberté ou pour la démocratie, pour les Droits de l'Homme, la disparition de la pauvreté et de l'injustice sociale, la transformation de la haine et de la discrimination des personnes, des peuples, des nations, etc., il s'agit là d'une volition saine qui apporte le bonheur à toi et à la société. Le désir de pratiquer pour transformer le mal-être en toi, la violence, la haine et le désespoir afin de générer de l'amour, de la compréhension et de la réconciliation est aussi une belle volition. En réalisant ces idéaux dans ta vie, tu pourras aider les autres dans la société à faire de même. Cette source d'aliment de volition est saine.

Par contre, si tu n'éprouves qu'une forte envie de punir ceux qui t'ont blessé, de te venger ou de détruire ceux que tu crois être tes ennemis, alors, cette volition est nocive. Si tu ne penses qu'à gagner beaucoup d'argent, de pouvoir, de renommée et qu'à trouver du plaisir dans le sexe, ce genre de volition pourra te faire beaucoup de mal parce que la poursuite des objets de ces désirs peut détruire ton corps et ton esprit. Ton bonheur véritable dépend beaucoup de cette source d'aliment.

4. La conscience, la quatrième catégorie d'aliment, est constituée de la conscience collective dans laquelle nous vivons et que, par conséquent, nous consommons. Ton idée du bonheur et de la beauté, ton point de vue sur les sujets d'éthique, les sujets sociaux et les mœurs sont en grande partie des produits de la conscience collective. Si tu as suivi un mode de vie sain et un idéal pour toi et pour ta famille, vous pouvez les perdre quand vous vivez dans un environnement où la plupart des personnes autour de vous a des goûts, des jugements de valeur et des habitudes différents des vôtres. Au début, vous vous sentirez peut-être mal à l'aise, mais insidieusement, vous vous habituerez à leurs manières et finalement la majorité vous emportera, sans même que vous le remarquiez.

Si, au contraire, vous vivez auprès des personnes ayant une conscience saine, vos plus belles qualités seront nourries et protégées, et avec une conscience collective puissante, vous pourrez, ensemble, changer toute une société.

Le Discours des Quatre Sortes d'Aliments ou le Discours de la Chair du Fils[1] est un très beau texte, très utile pour notre société actuelle. Il propose une solution au mal-être de notre société qui consomme tant d'aliments nocifs comme la haine, la violence et le désespoir.

1 Voir Thich Nhât Hanh, *Chants du Cœur,* Sully, 2009, page 205.

Faire les courses en pleine conscience

La pleine conscience est le bien le plus précieux que nous puissions avoir ; elle rend l'amour, le bonheur et tout plein d'autres cadeaux possibles, pour nous comme pour ceux qui nous entourent. Mais elle n'est à vendre dans aucun supermarché, et ce quelle que soit la somme que nous sommes prêts à payer pour l'avoir. Nous devons la produire par nous-mêmes.

Nous ne pouvons aller au magasin pour acheter de la pleine conscience et la ramener à la maison ; mais nous pouvons par contre amener notre pleine conscience avec nous quand nous allons faire les courses. Nous savons déjà que nous voulons consommer uniquement des produits qui contribuent à la paix et à une bonne santé, que ce soit pour nous ou pour la société, mais nous ne pouvons pas pratiquer la consommation en pleine conscience si nous ne faisons pas nos courses en pleine conscience. Nous avons besoin de l'énergie de pleine conscience pour ne pas nous égarer en passant devant les étalages tous plus alléchants les uns que les autres. La pleine conscience nous aide à reconnaître, de plus en plus clairement au fur et à mesure que nous pratiquons, ce dont nous avons réellement besoin et envie, et ce dont nous pouvons très bien nous passer. Nous pouvons dépenser beaucoup moins d'argent dans tous ces objets de consommation sans rien sacrifier de notre bonheur. En fait, nous sommes plus heureux ainsi, parce que nous pouvons prendre un emploi moins stressant et plus agréable quand nous ne sommes pas constamment sous pression financière pour acheter une maison, une voiture ou d'autres biens plus grands, plus beaux, plus neufs.

Alors, toi qui es pressé, tu veux faire tes courses en pleine conscience. Comment te protéger pour ne pas laisser ton esprit être charmé par toutes les publicités séduisantes ? Comment choisir des produits respectueux de ta santé ainsi que du travail des hommes et de la planète ?

Si tu fais tes courses dans un magasin, ne t'y rends pas en ayant faim ni quand tu es fatigué ou préoccupé. Etablis auparavant la liste des produits dont tu as besoin. Contrairement à ce que tu pourrais penser, le temps pris pour faire cette liste sera largement récupéré parce que celle-ci t'évitera fatigue et dispersion dans le magasin. Si tu fais tes courses sur internet, inscris tous tes achats dans

La Pleine
conscience
n'est pas
à vendre

le panier virtuel et laisse-toi un temps important avant de valider définitivement tes achats, en te posant la question : « En ai-je vraiment besoin ? » Imagine-toi en possession de toute cette nourriture, de tous ces objets que tu souhaites acquérir et demande-toi s'ils vont vraiment te rendre plus heureux. L'argent que tu vas ainsi dépenser ne pourrait-il pas être plus utile en venant en aide à d'autres ?

Vivre heureux dans le moment présent

La respiration et la marche en pleine conscience génèrent l'énergie de pleine conscience, qui ramène ton esprit à ton corps. Ainsi, tu es vraiment là dans le moment présent, pour rester en contact avec les merveilles de la vie en toi et autour de toi. Si tu reconnais ces merveilles, tu seras heureux immédiatement. Ancré dans le moment présent, tu découvriras que tu as déjà assez de conditions pour être heureux ; tu en as même en abondance. Tu peux être heureux ici et maintenant, sans avoir à chercher quoi que ce soit dans le futur ou ailleurs. C'est cela, *vivre heureux dans le moment présent*.

Le Bouddha a dit que nous tous pouvons vivre heureux ici et maintenant même. Quand tu es heureux-se, tu peux t'arrêter ; tu n'as plus besoin de poursuivre d'objet de désir. Ton esprit est calme ; avec un esprit agité, le vrai bonheur ne peut être. Le vrai bonheur ou la souffrance vient principalement de l'esprit et non pas de l'extérieur. Il ou elle dépend beaucoup de ta manière de regarder les choses et d'aborder la vie. Pourquoi courir à la recherche du bonheur, alors que toutes les conditions du bonheur sont déjà réunies ? Pour pouvoir arrêter cette course, il faut savoir vivre heureux avec le peu que tu as. Sans *contentement de ce que tu as*, tu continues toujours à poursuivre quelque chose, et chaque fois, après l'avoir obtenue, tu réalises que tu en veux une autre. Ainsi tu n'es jamais satisfait.

Un jour, quand le Bouddha allait délivrer un enseignement à ses disciples au monastère de Jeta, l'homme d'affaires Anatapindika lui a rendu visite, accompagné de cinq cents de ses amis et collègues. Le Bouddha leur a parlé de cette pratique de vivre heureux dans le moment présent : « *Vous pouvez bien sûr continuer en tant qu'hommes ou femmes d'affaire et réussir beaucoup dans votre carrière, mais entraînez-vous à vivre heureux ici et maintenant, pour ne pas manquer l'occasion précieuse que la vie vous offre d'aimer et de prendre soin des personnes que vous aimez. Si vous passez tout votre temps à réfléchir à votre réussite dans le futur, vous manquerez votre rendez-vous avec la vie, parce que la vie est uniquement disponible dans le moment présent.* »[1]

---

1 Pour en savoir plus sur la méditation dans le monde des affaires, voir Thich Nhât Hanh, *l'Art du Pouvoir*, Trédaniel, 2009.

Le bonheur, c'est maintenant ou jamais

Les merveilles de la vie sont là en toi et autour de toi et il faut avoir la capacité de les reconnaître et de t'en réjouir. Le bruissement des pins, les fleurs épanouies, le ciel bleu, les nuages blancs, le sourire d'un enfant..., sont tous des miracles de la vie, capables de te nourrir et de te guérir. Ils sont là pour toi. Mais es-tu là pour eux ? Si tu continues à courir et à te laisser emprisonner par l'anxiété et par ton agenda sans fin, c'est comme s'ils n'existaient pas.

Le paradis est là, il faut t'entraîner à le sentir sous chacun de tes pas. « *Chaque pas nous mène au paradis* ». Il faut être présent tout de suite pour pouvoir profiter de ton paradis, sans attendre le lendemain, parce que demain, il sera peut-être trop tard. Ne te souviens-tu pas de la chanson : « *Qu'est-ce qu'on attend pour être heureux ? Qu'est-ce qu'on attend pour faire la fête ?* » ? La méditation est un entraînement à vivre profondément chaque instant de ta vie quotidienne. Pour y réussir, il te faut générer la pleine conscience et la concentration avec ta respiration et ta marche.

La pleine conscience te permet de savoir ce qui se passe ici et maintenant et quand elle est continue, elle mène à la concentration. Grâce à la pleine conscience et à la concentration, tu peux regarder profondément la réalité des choses pour la comprendre. Tu peux percer le voile de l'ignorance, voir la réalité telle qu'elle est, et te libérer de l'angoisse, de la colère et du désespoir. C'est la vision profonde. Tu es donc encore plus efficace dans ton travail et plus heureux dans tes relations.

La pleine conscience, la concentration et la vision profonde sont le cœur de la méditation[1].

1 Pour en savoir plus, voir Thich Nhât Hanh, *La Vision profonde*, Albin Michel, 1995.

Concentrer ton esprit

Dans le Discours de la Pleine Conscience de la Respiration,[1] le Bouddha a enseigné seize exercices de respiration. Le onzième nous aide à concentrer notre esprit. Une fois que la pleine conscience est bien établie, tu peux entrer dans la concentration juste. La concentration est la focalisation de l'esprit. Avec elle, tu peux regarder profondément l'objet de ta contemplation et découvrir sa vraie nature et son origine, que ce soit une fleur, un nuage, un caillou, une personne que tu aimes, une sensation telle que la haine ou le désespoir. Quand ton esprit est bien concentré, il devient comme une loupe sous un rayon de soleil, capable de brûler beaucoup de vues fausses qui sont les racines de la souffrance, de la colère, de l'attachement et du désespoir.

Pour nous aider à nous libérer par la pratique du regard profond, le Bouddha nous a offert comme outils les contemplations de l'impermanence, du non-soi, de la vacuité, de la non-apparence, de la non-poursuite, du non-désir, de la

1 Pour le texte entier, les explications détaillées et les commentaires sur ce discours, voir Thich Nhât Hanh, *La Respiration essentielle*, Albin Michel, 1996.

non-naissance, et d'autres. Tu peux en choisir une ou deux pour commencer : la contemplation de l'impermanence ou celle du non-soi, par exemple.

Contempler l'impermanence

Tu as sûrement compris ce qu'est l'impermanence et tu l'as acceptée comme vérité. Mais ne l'as-tu pas acceptée seulement avec ton mental, intellectuellement ? Dans ta vie quotidienne, ne te comportes-tu pas toujours comme si tout était permanent ? Comprendre la *notion* de l'impermanence ne suffit pas à changer ta façon de regarder les choses et de les vivre. Seule la *vision profonde* de l'impermanence est capable de te libérer. Mais cette vision profonde ne peut naître si tu ne pratiques pas la contemplation de l'impermanence. Cela veut dire que tu dois maintenir ta vision de l'impermanence à tout moment pour imprégner toutes tes actions de cette vision. C'est comme cela que tu pratiques la concentration sur l'impermanence. Continuellement présente, cette vision éclairera toutes tes actions et protégera ta liberté et ton bonheur.

Par exemple, tu sais que la personne que tu aimes est impermanente, mais tu te comportes exactement comme si elle était permanente, comme si elle était là pour toujours, sous cette même forme, avec ce même état d'esprit et ces mêmes perceptions. La réalité est toute autre. Cette personne change continuellement, en apparence comme dans son esprit. Aujourd'hui, elle est là mais demain, elle ne le sera peut-être plus. Aujourd'hui, elle est en bonne santé mais demain, elle sera peut-être malade. Aujourd'hui, elle n'est pas gentille mais demain, elle le sera peut-être…

C'est seulement quand ton être incarne cette vision profonde que tu peux vivre ta vie de façon juste. En te souvenant que la personne que tu aimes est impermanente, tu fais ce que tu peux aujourd'hui pour la rendre heureuse, parce que tu ne sais jamais si elle sera encore là demain. Elle reste encore auprès de toi aujourd'hui, mais si tu n'es pas gentil avec elle, peut-être que demain, elle te quittera.

Si tu es en colère contre quelqu'un qui t'a blessé, qui a osé te causer de la peine, et que tu es sur le point de dire ou de faire quelque chose pour le faire souffrir, alors ferme les yeux s'il te plaît, prends une longue et profonde inspiration et contemple l'impermanence :

En embrassant ma colère dans la dimension historique,
Je ferme les yeux et visualise l'avenir.
Dans trois cents ans,
Où seras-tu, où serai-je ?

C'est une pratique de visualisation. Tu ne verras de vous deux que de la poussière dans trois cents ans. En touchant profondément ta nature impermanente et la sienne, et en voyant clairement ce que vous deux deviendrez en moins de cent ans, tu comprends immédiatement qu'il est stupide de te mettre en colère et de vous faire souffrir mutuellement. Tu apprécies au contraire la présence de l'autre dans le moment présent comme un véritable trésor. La colère se dissipe ; et quand tu ouvres les yeux, tu n'as plus aucune envie de le punir. Tout ce que tu veux faire est de la serrer dans tes bras.

La contemplation de l'impermanence t'aide ainsi à te libérer des chaînes de la colère[1]. En concentrant ton esprit, tu le libères.

1 Pour en savoir plus sur la pratique de la transformation de la colère, voir Thich Nhât Hanh, *La Colère, JC Lattès, 2002.*

Contempler le non-soi et la vacuité

Dans le chapitre « *Reconnaître ton père et ta mère en toi* » plus haut, tu as contemplé la présence des parents dans l'enfant. Tu as compris que l'enfant est la continuation des parents, que l'enfant *est* les parents, que le bonheur de l'enfant est aussi celui des parents et que la souffrance des parents est celle de l'enfant. Maintenir cette vision signifie contempler le non-soi. Ce que nous appelons notre « soi » est fait d'éléments « non-soi », comme la fleur est faite d'éléments non-fleur, tels que la graine, le fumier, la pluie, le rayon de soleil... En enlevant les éléments non-fleur de la fleur, cette dernière ne peut plus exister. Il n'y a donc pas d'identité séparée et indépendante. La contemplation du non-soi tranche les liens de la discrimination, de la jalousie, de la colère, de la haine et du désespoir.

La vacuité signifie aussi l'absence d'un soi qui existe indépendamment de toute autre chose. La vacuité ne signifie pas le néant ou la non-existence. Elle signifie simplement qu'une identité séparée n'existe pas. La fleur ne peut exister par elle-même, mais existe grâce aux éléments non-fleur. Tous les phénomènes dépendent les uns des

Ceci est
en cela
et cela
en ceci

autres pour se manifester. *Ceci est, parce que cela est. Ceci n'est pas, parce que cela n'est pas.* La contemplation de la vacuité est aussi la contemplation de l'Inter-Être. *Ceci est en cela et cela en ceci. Ceci est cela. Ceci ne peut être sans cela.*

Ce n'est pas parce que
tu ne le vois pas
qu'il n'existe pas

Contempler la non-apparence, la non-naissance et la non-mort

La contemplation de la non-forme t'aide à ne pas tomber dans le piège des apparences. Là où il y a forme, il y a tromperie[1]. La vapeur d'eau par exemple, est là, juste devant toi, mais tu ne peux pas la voir. Ce n'est pas parce que tu ne la vois pas qu'elle n'existe pas. Le nuage n'existe plus sous forme de nuage parce qu'il est devenu pluie et tu ne peux pas dire que le nuage est passé de l'état d'être à celui de non-être. Tu ne peux pas voir la vapeur d'eau, mais quand celle-ci rencontre une couche d'air froid, elle se condense pour devenir nuage, brouillard ou rosée. Il serait faux de dire que le nuage, le brouillard ou la rosée est passé de l'état de non-être à celui d'être. La forme qui nous sert à les nommer a simplement changé.

En fait, la non-naissance et la non-mort sont la vraie nature de la réalité, de toutes choses. En regardant les apparences, tu vois la naissance et la mort, l'être et le non-être, la venue et le départ, la réussite et l'échec. Mais

1 Voir le Discours du Diamant, Thich Nhât Hanh, *Le Silence Foudroyant*, Albin Michel, 1997.

en regardant profondément, tu découvriras que la vraie nature de toutes choses n'est ni la naissance ni la mort, ni l'être ni le non-être, ni la venue ni le départ, ni le même ni le différent.

Avant de prendre la forme d'un nuage, le nuage a été l'eau de la rivière ou de l'océan. L'eau s'est transformée en vapeur grâce à la chaleur du soleil, puis en gouttelettes pour devenir finalement un nuage. Il n'est pas devenu quelque chose à partir de rien. Sa nature est donc celle de la non-naissance.

Plus tard, le nuage cessera sa manifestation, il pourra prendre une autre apparence comme la pluie, la neige, la glace, le brouillard ou le petit ruisseau… Il ne passera pas de l'état de l'être à celui du non-être. Sa nature est donc aussi la non-mort. La non-naissance et la non-mort sont la nature véritable du nuage, et aussi celle de toutes choses, la tienne comme la mienne.

Une fois que la vision profonde de la non-naissance et de la non-mort t'habite, tu n'as plus peur de rien, tu as la grande liberté. C'est le fruit le plus précieux de la méditation.

Contempler la non-poursuite

La contemplation de la non-poursuite te permet d'arrêter toute quête qui peut t'épuiser, physiquement et mentalement. La non-poursuite signifie que tu ne cours derrière aucun objet. Le bonheur est disponible, en ce moment même. Tu es déjà ce que tu veux devenir.

C'est comme une vague qui cherche à entrer en contact avec l'immensité de l'eau de l'océan. Dès qu'elle découvre que l'eau est elle-même, elle n'a plus besoin de rechercher l'eau. Où que tu sois, la vie est pleine de merveilles. Le paradis et le bonheur sont déjà en toi et autour de toi. Contempler la non-poursuite t'aide à t'arrêter et à commencer une vie comblée et heureuse.

Tu es déjà
ce que tu veux
devenir

Contempler le non-désir

Contempler le non-désir signifie regarder profondément la nature des objets de ton désir. En les regardant profondément, tu vois les dangers, les désastres, la souffrance qu'ils t'apportent. Quand un poisson voit un gros ver alléchant juste devant lui, s'il sait qu'à l'intérieur du ver, un crochet tranchant l'attend, il ne mordra pas et sa vie sera sauve. Si tu gardes à l'esprit que tu es beaucoup plus, bien plus grand que tes désirs, tu restes connecté à cette partie de toi qui sait que tu as déjà ce dont tu as besoin. La contemplation du non-désir préserve ta liberté. Tu ne deviendras jamais victime des objets de ton désir. Grâce à cette liberté, tu vivras en paix et dans le bonheur.

L'amour véritable
apporte seulement
du bonheur
il ne te fait
jamais souffrir

Aimer sans limites

L'amour véritable n'apporte que du bonheur. Il ne te fait jamais souffrir. Le Bouddha a enseigné que la compréhension mène à l'amour véritable. Sans compréhension, plus nous aimons, plus nous souffrons et plus nous faisons souffrir l'autre personne. Comme nous l'avons déjà vu, la compréhension signifie d'abord comprendre les causes de la souffrance en nous et chez l'autre personne. Si le père ne comprend pas les difficultés et les peines de son enfant, il est incapable de l'aimer vraiment et de le rendre heureux. Il continuera à lui faire des reproches et à lui imposer ce qui peut le faire souffrir. Si tu aimes quelqu'un sans le comprendre vraiment, tu peux lui faire beaucoup de mal.

Pose-toi donc ces questions : « *Ai-je compris ses difficultés et sa souffrance ? Ai-je vu les causes de ses peines ?* » Si la réponse est négative, cherche à comprendre. Entraîne-toi à poser des questions comme celles-ci : « *Mon enfant, penses-tu que je comprenne tes difficultés et tes problèmes ? Sinon, aide-moi à les comprendre, s'il te plaît. Je sais que si je ne te comprends pas, je ne peux pas t'aimer vraiment et te rendre heureux. S'il te plaît, aide-*

moi, raconte-moi ce qu'il y a dans ton cœur ». C'est la pratique de la parole aimante, le langage de l'amour véritable.

Nous avons vu plus haut qu'en comprenant nos propres difficultés et notre propre souffrance, nous pourrons comprendre facilement celles des autres. Pour cela, il te faut donc revenir à toi-même et entrer en contact avec ta propre souffrance. Ne cherche plus à la fuir ou à l'oublier à travers les divertissements. Selon les enseignements fondamentaux du bouddhisme sur les Quatre Nobles Vérités, la première consiste à reconnaître la présence du mal-être et la deuxième, à regarder profondément le mal-être pour trouver ses causes.

Une fois que tu vois les racines du mal-être, tu comprends comment y mettre fin, c'est-à-dire que tu trouves le chemin menant à la transformation et à la fin de la souffrance. C'est la quatrième vérité. La troisième est la fin du mal-être, en d'autres termes la présence du bonheur. Quand la souffrance s'arrête, le bonheur est là, comme quand la nuit se retire, la lumière prend place naturellement. Les Quatre Nobles Vérités sont les enseignements de base offerts par Bouddha. Elle sont une méthode de diagnostic et de guérison très pratique.

Le Bouddha a aussi enseigné que tu dois apprendre à t'aimer avant de pouvoir aimer vraiment quelqu'un d'autre. Nous pouvons soulager la souffrance d'autrui, seulement si nous savons comment soulager la nôtre. Nous avons besoin d'un certain bonheur avant de pouvoir en offrir aux autres pour les aider à vivre heureux. *Charité bien ordonnée commence par soi-même.*

La bonté aimante signifie la capacité d'offrir du bonheur, et la compassion la capacité de soulager la souffrance. Elles se développent quotidiennement avec la pratique jusqu'à devenir illimitées. Elles vous enveloppent, toi, l'autre personne et toutes les espèces. La bonté aimante et la compassion sont les deux premiers éléments qui composent l'amour sans limites, appelés les *Quatre Esprits Incommensurables*, les deux autres étant la joie et la non-discrimination.

L'amour véritable apporte toujours la joie, l'espoir et le contentement. Si ta relation t'étouffe, si en aimant, tu souffres et fais pleurer l'autre personne, alors ce n'est pas l'amour véritable. Avec l'amour véritable, tes paroles, tes actes et même ta présence apportent de la joie. La joie de l'autre personne est ta propre joie ; son espoir et son

Tu dois apprendre
à t'aimer avant que
tu puisses aimer
vraiment quelqu'un

contentement sont les tiens. Tu jouis de sa joie. Tu vois sa réussite, son bonheur et sa liberté comme les tiens.

Grâce à ta pratique de la pleine conscience, tu reconnais toutes les conditions du bonheur qui sont là, des moments heureux que tu vis, et cela te rend naturellement joyeux. La pleine conscience est une source de bonheur, et la concentration rend ce bonheur encore plus profond et plus solide.

En pratiquant la non-discrimination, tu ne prends pas parti et tu ne rejettes personne. Tu aimes, et ton amour n'a rien à voir avec la couleur de la peau, l'appartenance à un peuple ou à une religion. C'est l'amour le plus élevé, capable d'embrasser tous les êtres et toutes les espèces. C'est le cœur d'un être éveillé. Il n'y a plus de frontière entre celui qui aime et celui qui est aimé. Toi et la personne que tu aimes ne sont plus deux réalités séparées. Grâce à la non-discrimination, l'amour devient vraiment un amour sans frontières[1].

1 Pour en savoir plus sur les enseignements de l'amour, voir Thich Nhât Hanh, *Enseignements sur l'amour*, Albin Michel, 1999.

L'écoute profonde

L'écoute profonde est une pratique de méditation capable de produire des miracles et d'apporter la guérison. Pensons à quelqu'un qui a des difficultés et de la souffrance dans son coeur mais que personne n'a pu comprendre. Animé par une grande compassion, tu peux t'asseoir et l'écouter profondément. Si en l'écoutant, tu ne te sens pas irrité, mais que tu ressens au contraire toujours de l'amour, alors tu écoutes vraiment profondément. C'est l'écoute du coeur, l'écoute compatissante.

Pratique la pleine conscience pour te souvenir que tu lui offres ton écoute profonde avec une seule intention : l'aider à vider son coeur pour soulager ses peines. Si tu arrives à te souvenir toujours de cette intention, tu seras capable de maintenir ton écoute profonde, même si ses paroles sont sarcastiques, amères, pleines de perceptions erronées, de jugements et d'accusations. Tu te dis : « *Oh ! Le pauvre, il a beaucoup de perceptions fausses. Le feu de la colère et de la souffrance le consume.* » La souffrance et la colère naissent des perceptions fausses, et quand nous avons une vision plus correcte de la réalité, le sombre nuage de la colère et de la souffrance se dissipera. Lorsque tu comprends cela, tu peux rester assis bien calmement et continuer à l'écouter attentivement. Tu peux l'encourager à vider tout ce qu'il y a dans son cœur. Ne l'interromps pas. N'essaie pas non plus de le corriger. En l'écoutant ainsi pendant une heure, tu l'aideras à se sentir bien plus léger et moins souffrant.

La patience est l'un des signes de l'amour véritable. Continue à l'écouter ainsi et attends le bon moment quand l'occasion arrivera, tu lui apporteras des renseignements corrects pour l'aider à voir la réalité plus clairement. Mais tu ne peux pas lui fournir trop d'informations à la fois, parce qu'il ne serait pas capable de les recevoir et risquerait au contraire de tout rejeter. Sache donner la quantité d'informations qu'il peut recevoir et chaque fois, donne-lui la bonne dose, jusqu'à ce qu'il puisse lâcher toutes ses perceptions erronées. En écoutant sans jugement, tu auras également l'occasion de rectifier tes propres perceptions erronées du passé. Tu pourras alors lui demander pardon tout de suite.

La Patience est l'un
des signes de l'amour
véritable

Dans le bouddhisme, Avalokita[1] est le spécialiste de cette pratique de l'écoute profonde et compatissante. Voici une récitation de cette pratique tirée du cahier de chant quotidien que nous utilisons au Village des Pruniers :

Avalokita, nous désirons suivre ta voie qui est d'écouter attentivement pour soulager la souffrance du monde. Tu as un cœur qui sait comment écouter pour comprendre. Nous voulons être vraiment là, pour apprendre à écouter sincèrement avec toute notre attention. Nous voulons apprendre à écouter sans préjugés, sans juger ni réagir. Nous nous entraînerons à écouter dans le seul but de comprendre. Nous sommes déterminés à écouter si attentivement que nous pourrons comprendre ce que l'autre personne dit, ainsi que ce qui n'a pas été dit. Nous savons que simplement en écoutant de cette manière, nous allégerons déjà de beaucoup la souffrance de l'autre[2].

1 Connu sous le nom de Quanyin par les chinois et Kannon par les japonais.
2 Voir Thich Nhât Hanh, *Chants du Cœur*, Sully, 2009, page 38.

La parole aimante

La parole aimante est aussi une pratique de méditation. Tu as le droit et la responsabilité de dire toute la vérité, toutes tes pensées et tes impressions, toutes tes difficultés et ta souffrance. Mais au lieu d'utiliser les reproches, les accusations, les paroles dures et sarcastiques, utilise plutôt un langage bienveillant. Ne parle de ta souffrance et de tes difficultés que pour permettre à l'autre personne de te comprendre et de t'aider. Dis-lui que tu as probablement des perceptions erronées et demande-lui, si elle les voit, de t'aider à avoir une vision plus juste. La parole aimante, en parallèle avec l'écoute profonde, a la capacité de rétablir la communication et de cultiver une belle relation. Ecrire une lettre avec ce langage bienveillant et en pleine conscience peut également apporter beaucoup de transformation et de guérison, non seulement à celui qui reçoit la lettre, mais aussi à toi-même.

Tout est entre tes mains

En inspirant et expirant consciemment, fais quelques pas ; et pendant ces quelques secondes, rappelle-toi que tu es en vie, que tes jambes et tes pieds sont encore assez forts pour marcher et pour courir. Ne te rends-tu pas compte qu'être en vie et marcher sur cette belle planète est déjà un miracle ? Délecte-t'en alors en marchant ainsi. C'est le miracle de la pleine conscience et de la concentration. A n'importe quel moment, tu peux entrer en contact avec les merveilles de la vie et en ressentir de la joie et du bonheur, où que tu sois.

Quand tu peux reconnaître les conditions de bonheur qui sont là, en toi et autour de toi, tu vois clairement que tu n'as aucunement besoin ni de le chercher ailleurs, ni de l'espérer pour un futur lointain. C'est très important de savoir que le bonheur est possible, ici et maintenant même. Avec la pleine conscience, tu peux reconnaître toutes les conditions de bonheur qui sont déjà en toi et autour de toi ; reconnaître qu'il y en a bien plus qu'assez pour être heureux. Je pense que la même sagesse est présente dans la Bible et dans d'autres écritures saintes.

Si tu sais être heureux avec les merveilles de la vie qui sont déjà là, présentes et disponibles pour toi, tu n'as plus besoin de mettre ton corps et ton esprit sous pression en essayant d'en faire toujours plus. Et tu n'as plus besoin de mettre cette planète sous pression en consommant toujours plus. La Terre appartient à nos enfants. Nous avons déjà fait trop d'emprunts à la Terre, à nos enfants ; et vu le train où vont les choses, nous ne sommes pas sûrs de jamais pouvoir la leur rendre dans un état décent. Et qui sont nos enfants, vraiment ? Ils sont nous-mêmes, parce qu'ils sont notre continuation. Alors, nous avons des dettes envers nous-mêmes.

La surconsommation et l'emprunt sans limites ont gangrené tant d'aspects de notre mode de vie. Et pourtant, plus nous empruntons, plus nous nous endettons. Il est temps de nous éveiller et de voir que nous ne devrions pas continuer à vivre ainsi. Ce qui est déjà disponible ici et maintenant est plus qu'assez pour notre bonheur.

Seule cette vision profonde peut nous sortir de ces comportements compulsifs et autodestructeurs. Nous avons besoin d'un éveil collectif. Un seul éveillé ne suffit pas. Pour que notre planète ait encore une chance, nous devons tous devenir des éveillés.

Heureusement, nous avons le pouvoir de nous éveiller, de toucher l'éveil de temps en temps dans notre vie quotidienne... aussi débordés que nous soyons ! Alors commençons dès maintenant. Tout est entre *tes* mains.

Le chemin de l'Éveillé

Le chemin de l'Éveillé est celui de la compréhension et de l'amour. Tu ne peux vraiment aimer que si tu comprends. La compréhension est la vision profonde, l'amour est le cœur. La sagesse de l'Inter-Etre, de la Vue Juste, du Non-Soi, de l'Interdépendance est capable de transformer tout attachement aux vues, toutes discriminations et toute haine.

Les Cinq Entraînements à la Pleine Conscience représentent ce chemin. Si tu vis selon les cinq entraînements, tu seras heureux et tu pourras offrir le bonheur à beaucoup de personnes. Les cinq entraînements (voir page 157) sont la vision d'une éthique globale. Étudie-les en profondeur et mets-les en pratique dans ta vie personnelle, familiale et sociale ; tu pourras créer la paix, le bonheur et sauver la planète. C'est ton chemin. Quand tu as un chemin, tu n'as plus à t'inquiéter.

La Pleine Conscience est une source de bonheur

Poèmes pour la pratique quotidienne

L'UTILISATION des poèmes dans le monde du zen remonte à plus de deux mille ans. Quand je suis entré comme novice au monastère Tu Hiêu au Vietnam en 1942, j'ai reçu un exemplaire de *Poèmes pour l'usage quotidien* compilés par maître zen chinois Du Tì. Les poèmes dans cette section du livre ont été écrits pour les moines et les moniales d'autrefois. Au Village des Pruniers, nous les pratiquons quand nous nous réveillons, quand nous entrons dans la salle de méditation, quand nous prenons nos repas et quand nous faisons la vaisselle, etc. En fait, nous les récitons en silence tout au long de la journée pour nous aider à nous établir dans l'instant présent. Un été, afin d'aider les enfants et les adultes au Village des Pruniers à pratiquer la pleine conscience, j'ai commencé à rassembler des poèmes adaptés à notre époque. Depuis, je ne cesse d'en écrire pour enrichir cette collection. Le résultat, ce sont les poèmes pratiques et concrets que tu trouveras ici.

NOUS pouvons réciter intérieurement les courts poèmes au cours de nos activités quotidiennes pour nous souvenir de revenir au moment présent et de rester en pleine conscience. En les récitant, nous devenons profondément conscients de l'action dans laquelle nous sommes engagés et cela nous aide à réaliser cette action avec amour et compréhension. En tant que poèmes et exercices de méditation, ils sont une partie essentielle de la tradition bouddhiste zen. Pratiquer en récitant un poème n'exige aucune connaissance ni aucune pratique spirituelle particulières. Certaines personnes aiment apprendre par cœur un poème préféré auquel elles peuvent se référer aussi souvent qu'elles le souhaitent. D'autres aiment simplement recopier le poème sur une feuille de papier placée dans un endroit où elles ont toutes les chances de le voir fréquemment, ou encore, le garder dans une poche pour se le rappeler chaque fois qu'elles ont besoin de retourner à elles-mêmes.

Nous sommes souvent si occupés que nous oublions ce que nous sommes en train de faire ou même qui nous sommes. Je connais des personnes qui m'ont dit qu'elles oubliaient même de respirer ! Nous oublions de regarder ceux et celles que nous aimons et de les apprécier, jusqu'au moment où il est trop tard. Même lorsque nous avons quelques moments de loisir, nous ne savons pas comment être en contact avec ce qui se passe en nous et autour de nous. Aussi allumons-nous le poste de télévision ou prenons-nous le téléphone, comme si nous pouvions échapper à nous-mêmes.

Méditer, c'est être conscient de ce qui se passe, dans notre corps, dans nos sensations, dans notre esprit et dans le monde. Quand nous sommes ancrés dans le moment présent, nous pouvons voir la beauté et toutes les merveilles juste devant nos yeux : un nouveau-né, le soleil qui se lève dans le ciel... Nous pouvons goûter un immense bonheur simplement en prenant conscience de ce qui se trouve là devant nous.

Réciter des poèmes est un moyen de nous aider à demeurer dans l'instant présent. Lorsque nous focalisons notre esprit sur un poème, nous revenons à nous-même et devenons plus conscients de chacune de nos actions. Une fois que le poème est terminé, nous poursuivons notre activité avec une attention améliorée. Quand nous conduisons une voiture, des panneaux nous aident à trouver notre chemin. Le panneau et la route ne font qu'un, et nous voyons un panneau tout au long du trajet jusqu'au prochain panneau. Quand nous nous exerçons avec les poèmes, les poèmes et notre vie ne font qu'un, et nous vivons toutes nos expériences en pleine conscience. Cela nous aide beaucoup et cela aide également les autres. Nous trouvons plus de paix, de calme, de joie que nous pouvons partager avec autrui.

Lorsque tu mémorises un poème, il te vient à l'esprit naturellement au moment où tu fais l'activité à laquelle ce poème est relié, qu'il s'agisse d'ouvrir le robinet ou encore de prendre une tasse de thé. Tu n'as pas besoin d'apprendre tous les poèmes par cœur en une seule fois. Tu peux en trouver un ou deux qui t'inspirent et puis en apprendre de nouveaux peu à peu. Après quelque temps, tu t'apercevras peut-être que tu les as tous mémorisés et que tu inventes même tes propres poèmes. Quand j'ai écrit les poèmes pour téléphoner, conduire une voiture et allumer l'ordinateur, je l'ai fait selon la tradition héritée de mes maîtres. Tu es maintenant à ton tour héritier de cette tradition. Composer toi-même tes propres poèmes qui conviennent aux circonstances spécifiques de ta vie est une manière merveilleuse de pratiquer la pleine conscience.

J'espère que cette collection de poèmes sera pour toi un compagnon constant et agréable.

En me réveillant

Me réveillant ce matin, je souris.
J'ai vingt-quatre heures toutes nouvelles.
Je forme le vœu de vivre chaque instant dans sa plénitude
Et de poser sur le monde un regard aimant.

En enfilant mes pantoufles

Marcher sur la Terre est un miracle !
Chaque pas en pleine conscience
Révèle toutes les merveilles de la vie.

En descendant du lit

Du matin jusqu'au soir,
Que tous les êtres vivants se protègent.
Si par mégarde, je marche sur un petit insecte,
Qu'il renaisse aussitôt dans le paradis.

En allumant la lumière

L'oubli est ténèbres.
La pleine conscience est lumière.
En ramenant la pleine conscience dans la vie,
J'éclaire le monde entier.

En faisant mon lit

En faisant mon lit, je génère la joie.
Je veux mener une vie propre et nette.
Avec la pleine conscience du corps et de l'esprit,
Toute ma souffrance se détache.

En ouvrant la fenêtre

Par la fenêtre, je contemple la vie.
Qu'elle est merveilleuse !
Attentif à chaque instant,
Ma conscience est claire comme un fleuve tranquille.

En urinant

Uriner dans la dimension ultime[1],
Quel échange merveilleux !
Tout inter-est[2] dans cette vie.
Il n'y a ni trop, ni trop peu.

En déféquant

Pur ou impur,
Croissant ou décroissant,
Ces concepts n'existent que dans notre esprit.
La réalité de l'inter-être est inégalée.

---

1 Dimension de la vérité absolue qui transcende toutes notions de naissance/mort, d'être/non-être, de venir/partir, de même/différent, etc.
2 Verbe inventée par Thich Nhat Hanh qui signifie être interdépendant avec toutes choses dans l'univers pour exister.

En ouvrant le robinet

L'eau descend des hauteurs de la montagne.
L'eau monte des profondeurs de la Terre.
L'eau coule miraculeusement jusqu'à nous.
Ma gratitude envers elle est débordante.

En me lavant les mains

L'eau coule sur mes mains.
Je m'en servirai avec habileté
Pour préserver notre précieuse planète.

En me brossant les dents

En me brossant les dents,
Je fais le vœu d'embellir mes paroles.
Lorsque ma bouche est embaumée par les mots justes,
Une fleur éclôt dans le jardin de mon cœur.

En me rinçant la bouche

En me rinçant la bouche, mon cœur est purifié.
L'univers est parfumé de fleurs.
Corps, parole et esprit en paix,
Ma main dans celle de l'Éveillé,
Je me promène dans le paradis.

En me lavant le visage

En me lavant le visage,
Je laisse mon cœur se vider de toute impureté.
Une source de paix et de bonheur
Jaillit de mon corps tout entier.

En me regardant dans le miroir

La pleine conscience est un miroir
Qui reflète les quatre éléments[1].
La vraie beauté vient d'un cœur aimant.
La vraie beauté vient d'un esprit ouvert.

En prenant une douche

Ni naissance, ni mort,
Ni avant, ni après,
Je reçois et transmets
Ces merveilleux enseignements.

En regardant ma main

À qui est cette main,
Qui n'a jamais connu la mort ?
Quelqu'un est-il déjà né ?
Quelqu'un meurt-il un jour ?

1 Notre corps se compose des quatre grands éléments qui sont la terre,
l'eau, l'air et le feu.

En me lavant les pieds

La paix et la joie
D'un seul doigt de pied,
La paix et la joie
De tout mon corps et mon esprit.

En m'habillant

Ayant des vêtements à porter pendant les quatre saisons,
Je ressens beaucoup de gratitude
Envers les tisserands et les couturiers.
Puissent tous les hommes avoir de quoi se vêtir !

En montant et en descendant les escaliers

En montant et en descendant les escaliers,
Mes pas sont doux et légers.
Quand j'entends mes talons claquer,
Je sais que je ne suis pas vraiment arrivé.

En rangeant mes chaussures

En rangeant mes chaussures,
Je souhaite qu'en pleine conscience,
Chacun entre et sorte dans la liberté.

En entrant dans une salle de méditation

En entrant dans la salle de méditation,
Je vois ma vraie nature.
Aussitôt assis,
Toute mon agitation cesse.

En allumant une bougie

En allumant cette bougie,
J'offre de la lumière à une infinité d'Eveillés.
Une belle pensée suffit à illuminer
Le monde entier.

En allumant de l'encens

De l'encensoir émane, dans les dix directions,
Le parfum de l'encens le plus précieux.
Notre esprit d'éveil est extraordinairement puissant :
Quoi qu'il touche, il fait jaillir la lumière
Et où qu'il soit, il apporte une paix et une concentration très claires.
Avec gratitude, j'offre l'encens de mon cœur à tous les éveillés.

En prenant la posture assise

Dans la position du lotus
S'épanouit la fleur de l'humanité.
La fleur d'Udumbara[1] d'autrefois
Répand encore son parfum.

En m'asseyant en méditation

Assis ici, sous l'arbre de l'éveil,
Mon corps est stable,
Ma pleine conscience inébranlable.

En commençant la méditation assise du matin

Du corps de l'enseignement rayonne la lumière du matin.
Dans la concentration, mon cœur est en paix.
Un léger sourire naît sur mes lèvres.
C'est un jour nouveau.
Je le vivrai de manière éveillée.
Le soleil de la sagesse vient de se lever,
Illuminant toutes les directions.
Maintenant, j'unifie tout mon être
Dans la méditation.

---

1 Cette fleur ne fleurit qu'une fois tous les trois mille ans. Mais elle éclôt
en nous à chaque instant si notre pratique est stable.

En calmant ma respiration

J'inspire, je me calme.
J'expire, je souris.
Je m'établis dans le moment présent,
Unique et merveilleux.

En respirant

Je suis chez moi,
Je suis arrivé.
Il n'y a qu'ici
Et maintenant.
Bien solide,
Vraiment libre,
Je prends refuge en moi-même.

Je suis chez moi,
Je suis arrivé.
Il n'y a qu'ici
Et maintenant.
Bien solide,
Vraiment libre,
Dans la Terre pure, je m'établis.

En pratiquant la méditation assise

Assis dans la dimension historique,
Y a-t-il un lieu où l'on ne puisse réaliser l'Eveil ?
Combien de naissances et de morts à traverser,
Quel instant n'est pas unique ?

En rectifiant ma posture assise

Les sensations vont et viennent
Comme des vagues sur la mer par grand vent.
La respiration consciente ancre mon bateau à son port.

En pratiquant la méditation marchée

L'esprit se perd en mille directions,
Mais je marche en paix sur ce beau chemin.
À chaque pas se lève une brise légère.
À chaque pas éclôt une fleur.

En écoutant la cloche

En fixant mon attention
Sur le son de la cloche,
Je laisse aller toute ma souffrance.
Mon cœur est calme et ma douleur apaisée.
Je me libère doucement de mes peines.
Apprenant à écouter profondément,
Je comprends enfin ma souffrance
Et celle des autres.
M'entraînant à regarder profondément,
La compréhension naît en moi
Et la compassion éclôt comme une fleur.

En saluant quelqu'un

Un lotus pour toi,
Un Éveillé en devenir.

En balayant

Comme je balaie avec soin
Le sol de l'éveil,
Un arbre de compréhension
Surgit de la terre.

En balayant les feuilles

En balayant les feuilles dans la dimension ultime,
Chaque feuille est une manifestation
Dans une partie de cache-cache.
Elle ne vient, et ne va nulle part.

En nettoyant les toilettes

Que c'est merveilleux de ranger et de nettoyer !
Mes actions se purifient jour après jour.

En recyclant

Dans les ordures, je vois une rose,
Dans la rose, je vois le compost.
Tout se transforme.
La permanence est dans l'impermanence.

En sortant les poubelles

En sortant les poubelles dans la dimension ultime,
Je regarde toutes choses avec le regard non-dualiste.
Je confie aux générations futures
Une fleur traversant les siècles.

En jardinant

La Terre me donne la vie,
Me nourrit,
Puis me reprend avec elle.
La naissance et la mort sont présentes dans chaque respiration.
Elles sont aussi incalculables que des grains de sable.

En désherbant

En désherbant dans la dimension historique,
Je me souviens de sourire à la dimension ultime.
Lorsque la dimension ultime ne cache pas son visage,
La dimension historique devient totalement libre.

En plantant un arbre

Je me confie à la Terre
Et la Terre se confie à moi.
Je me confie à l'Éveillé
Et l'Éveillé se confie à moi.

En arrosant les plantes

Le soleil et l'eau fraîche
Font verdir toute cette végétation.
La pluie de la compassion d'un grand être
Transforme un désert aride en une vaste plaine fertile.

En arrosant les plantes d'intérieur

Ne te crois pas seule, chère plante.
Cette eau te vient de la terre et du ciel.
Elle est aussi la planète Terre.
Nous sommes ensemble depuis la nuit des temps.

En lavant les légumes

Dans ces légumes frais,
Je vois un soleil vert.
Toutes les choses s'unissent
Pour rendre la vie possible.

En nettoyant ma chambre

Nettoyer cette chambre calme et fraîche
Fait naître en moi
Une joie et une énergie infinies.

En coupant une fleur

Puis-je te cueillir, petite fleur,
Cadeau du ciel et de la terre ?
Merci, chère amie,
De rendre la vie si belle.

En arrangeant les fleurs

En arrangeant ces fleurs,
Je transforme ce monde en paradis.
Le jardin de mon cœur est purifié
Et mille fleurs s'y épanouissent.

En changeant l'eau du vase

L'eau garde la fraîcheur de la fleur
Qui s'épanouit pour nous.
Quand la fleur respire, je respire
Quand elle sourit, je souris.

En faisant un feu dans la cheminée

En faisant un feu dans la dimension ultime,
Je renvoie des nuages vers l'été
Et conserve précieusement le soleil
Pour les journées glaciales en hiver.

En prenant le téléphone

Les mots parcourent des milliers de kilomètres.
Je construirai l'amour et la confiance.
Puisse chacune de mes paroles être un joyau,
Puisse chacune de mes paroles être une fleur.

En allumant l'ordinateur

En allumant l'ordinateur,
Mon mental touche ma conscience du tréfonds.
Je suis déterminé à transformer mes énergies d'habitude
Et à développer l'amour et la compréhension.

En souriant à ma colère

Sachant que la colère m'enlaidit,
Je m'offre un sourire.
Je reviens en moi-même pour protéger mes pensées
Et ne cesse de méditer sur l'amour.

En regardant mon assiette vide avant de me servir

Mon assiette vide devant moi,
Je sais qu'aujourd'hui,
J'aurai la chance
De la voir remplie.

En me servant de la nourriture

Mon assiette est pleine maintenant.
J'y vois la présence de l'univers tout entier
Qui contribue à ma subsistance.

En contemplant avant de manger

1. *Cette nourriture est le cadeau de l'univers tout entier : de la terre, du ciel, d'innombrables êtres vivants et le fruit de beaucoup de travail.*
2. *Mangeons-la en pleine conscience et avec gratitude pour être dignes de la recevoir.*
3. *Reconnaissons et transformons nos formations mentales négatives, par exemple l'avidité, qui nous empêchent de manger avec modération.*
4. *Mangeons de manière à maintenir notre compassion éveillée, à réduire la souffrance des êtres vivants, à préserver notre planète et à inverser le processus du réchauffement planétaire.*
5. *Nous recevons cette nourriture parce que nous voulons développer la compréhension et l'amour.*

En regardant mon assiette pleine avant de manger

Tous les êtres luttent
Pour survivre sur cette planète.
Que chacun d'eux
Ait suffisamment à manger.

En prenant les quatre premières bouchées

À la première bouchée, j'offrirai la joie.
À la deuxième, je soulagerai la souffrance.
À la troisième, je cultive la joie en moi.
À la quatrième, j'aime sans discrimination.

En mangeant

En mangeant dans la dimension historique,
Je mâche au rythme de ma respiration.
Comme c'est merveilleux de nous nourrir les uns les autres,
Et d'aider tous les êtres avec compassion.

En regardant mon assiette vide à la fin du repas

J'ai fini mon assiette,
Ma faim est rassasiée.
Puissent toutes mes actions refléter
Ma profonde gratitude envers tous les êtres.

En prenant le thé

Cette tasse de thé entre mes deux mains
Est remplie de ma pleine conscience.
Mon corps et mon esprit s'établissent
Dans l'ici et maintenant.

En lavant la vaisselle

En lavant la vaisselle dans la dimension historique,
Je souris pour moi-même.
Que fais-je donc là ?
Une rose fraîche s'ouvre.

En conduisant une bicyclette

Assis bien droit sur la bicyclette,
Je suis stable et en équilibre,
Tout comme ma pratique de la générosité
Et de la compréhension parfaite.
Ma compréhension et mon action vont en parallèle.

En mettant la ceinture de sécurité

Sachant que deux tiers des accidents
Ont lieu près de notre domicile,
Je reste très attentif,
Même pour de petits trajets.

En démarrant la voiture

Avant de démarrer ma voiture,
Je sais où je vais.
Je ne fais qu'un avec ma voiture.
Si elle va vite, j'irai vite.

En me promenant

En me promenant dans la dimension ultime,
J'utilise mes deux pieds
Et non ma tête.
Si je marche avec ma tête, je me perds.

En m'asseyant dans la détente

Me détendant dans la dimension historique,
Je m'assieds sur un banc en pierre.
Ce papillon est encore là
Ainsi que ce bouquet de roses.

En allumant la télévision

L'esprit est une télévision avec des milliers de chaînes.
Je choisis un monde paisible et tranquille
Et ma joie garde toujours sa fraîcheur.

En recousant mes vêtements

En recousant mes vêtements dans la dimension historique,
Je retisse ma vie avec tous ses morceaux usagés.
Cette pointe d'aiguille et ce fil
Sont ma pratique quotidienne qui portera ses fruits[1].

En serrant quelqu'un dans mes bras

En inspirant, je suis si heureux
De serrer ma bien-aimée entre mes bras.
En expirant, je sais qu'elle est encore vivante auprès de moi.

En commençant la méditation assise du soir

Assis au pied de l'arbre de l'éveil,
Ma posture est stable.
Corps, parole et esprit calmes et tranquilles,
Il n'y a plus de pensées ni de bien ni de mal.
Mon corps et mon esprit en parfaite pleine conscience,
Je redécouvre ma nature originelle
Et abandonne la rive de la confusion.
Maintenant, j'unifie tout mon être
Dans la méditation.

---

1 Un grand disciple du Bouddha a atteint l'Eveil après avoir fait sept points de couture.

En contemplant ma journée

Le jour touche à sa fin,
Notre vie s'enfuit.
Qu'ai-je fait
De tout ce temps passé ?
Avec diligence,
Je me consacre de tout cœur
Au chemin de la compréhension et de l'amour.
Je vis pleinement chaque instant
Comme une personne libre.
Conscient de l'impermanence,
Je ne laisse pas mes jours s'écouler
Dans l'inutilité.

Avant de dormir

En me reposant dans mon lit,
Je souhaite que tous les êtres vivants
Soient en sécurité dans leur corps
Et en paix dans leur esprit.

APPENDICE : LA VOIE DU BOUDDHA

La voie du Bouddha est celle de la compréhension et de l'amour. Comme nous l'avons vu, nous pouvons seulement aimer vraiment quand nous comprenons. La compréhension est la vision profonde. L'amour est l'énergie du cœur. La sagesse bouddhiste inclut les visions profondes essentielles de l'inter-être et de la co-production interdépendante, qui ont la capacité de transformer toute étroitesse d'esprit, toute discrimination et toute haine. Les Cinq Entraînements à la Pleine Conscience du bouddhisme (aussi connus sous le nom des Cinq Préceptes) incarnent ce chemin de sagesse et nous guident toujours plus en profondeur sur cette voie.

Si tu vis en accord avec les Cinq Entraînements à la Pleine Conscience, tu créeras beaucoup de bonheur, pour toi-même comme pour de nombreuses autres personnes. La nouvelle version des Cinq Entraînements à la Pleine Conscience publiée ici englobe la vision bouddhiste d'une véritable éthique mondiale pour ce vingt-et-unième siècle. La pratique de ces cinq entraînements génère la paix et la joie, et apporte aux futures générations comme à notre planète l'espoir d'arriver au vingt-deuxième siècle.

Une fois que tu as un chemin, tu n'as plus rien à craindre. Regarde ces entraînements en profondeur et mets-les en pratique dans ta vie personnelle, dans ta vie de famille et dans la société.

Les Cinq Entraînements à la Pleine Conscience

Le premier Entraînement : *Protection de la vie*

Conscient de la souffrance provoquée par la destruction de la vie, je suis déterminé à cultiver ma compréhension de l'Inter-Être et ma compassion, afin d'apprendre comment protéger la vie des personnes, des animaux, des plantes et des minéraux. Je m'engage à ne pas tuer, à ne pas laisser tuer et à ne soutenir aucun acte meurtrier dans le monde, dans mes pensées ou dans ma façon de vivre. Je comprends que toute violence causée notamment par le fanatisme, la haine, l'avidité, la peur, a son origine dans une vue dualiste et discriminante. Je m'entraînerai à tout regarder avec ouverture, sans discrimination ni attachement à aucune vue ni à aucune idéologie, pour œuvrer à transformer la violence et le dogmatisme qui demeurent en moi et dans le monde.

Deuxième Entraînement : *Bonheur véritable*

Conscient de la souffrance provoquée par le vol, l'oppression, l'exploitation et l'injustice sociale, je suis déterminé à pratiquer la générosité dans mes pensées, dans mes paroles et dans mes actions de la vie quotidienne. Je partagerai mon temps, mon énergie et mes ressources matérielles avec ceux qui en ont besoin. Je m'engage à ne pas m'approprier ce qui ne m'appartient pas. Je m'entraînerai à regarder profondément afin de voir que le bonheur et la souffrance d'autrui sont étroitement liés à mon propre bonheur et à ma propre souffrance. Je comprends que le bonheur véritable est impossible sans compréhension et amour, et que la recherche du bonheur dans l'argent, la renommée, le pouvoir ou le plaisir sensuel génère beaucoup de souffrance et de désespoir.

J'approfondirai ma compréhension du bonheur véritable qui dépend davantage de ma façon de penser que de conditions extérieures. Si je suis capable de m'établir dans le moment présent, je peux vivre heureux ici et maintenant, dans la simplicité, reconnaissant que de nombreuses conditions de bonheur sont déjà disponibles en moi et autour de moi. Conscient de cela, je suis déterminé à choisir des moyens d'existence justes afin de réduire la souffrance et de contribuer au bien-être de toutes les espèces sur Terre, notamment en agissant pour inverser le processus du réchauffement planétaire.

Troisième Entraînement : *Amour véritable*

Conscient de la souffrance provoquée par une conduite sexuelle irresponsable, je suis déterminé à développer mon sens de la responsabilité et à apprendre à protéger l'intégrité et la sécurité de chaque individu, des couples, des familles et de la société. Je sais que le désir sexuel et l'amour sont deux choses distinctes, et que des relations sexuelles irresponsables, motivées par l'avidité, génèrent toujours de la souffrance de part et d'autre. Je m'engage à ne pas avoir de relation sexuelle sans amour véritable ni engagement profond, à long terme et connu de mes proches. Je ferai tout mon possible pour protéger les enfants des abus sexuels et pour empêcher les couples et les familles de se désunir par suite de comportements sexuels irresponsables. Sachant que le corps et l'esprit ne font qu'un, je m'engage à apprendre les moyens appropriés pour gérer mon énergie sexuelle. Je m'engage à développer la bonté aimante, la compassion, la joie et la non-discrimination en moi, pour mon propre bonheur et le bonheur d'autrui. Je sais que la pratique de ces quatre fondements de l'amour véritable me garantira une continuation heureuse dans l'avenir.

Quatrième Entraînement :
Parole aimante et écoute profonde
Conscient de la souffrance provoquée par des paroles irréfléchies et par l'incapacité à écouter autrui, je suis déterminé à apprendre à parler à tous avec amour et à développer une écoute profonde qui soulage la souffrance et apporte paix et réconciliation entre moi-même et autrui, entre groupes ethniques et religieux, et entre les nations. Sachant que la parole peut être source de bonheur comme de souffrance, je m'engage à apprendre à parler avec sincérité, en employant des mots qui inspirent à chacun la confiance en soi, nourrissent la joie et l'espoir, et œuvrent à l'harmonie et à la compréhension mutuelle. Je suis déterminé à ne rien dire lorsque je suis en colère. Je m'entraînerai à respirer et à marcher alors en pleine conscience, afin de reconnaître cette colère et de regarder profondément ses racines, tout particulièrement dans mes perceptions erronées et dans le manque de compréhension

de ma propre souffrance et de la souffrance de la personne contre laquelle je suis en colère.

Je m'entraînerai à dire la vérité et à écouter profondément, de manière à réduire la souffrance chez les autres et en moi-même, et à trouver des solutions aux situations difficiles. Je suis déterminé à ne répandre aucune information dont je ne suis pas certain et à ne rien dire qui puisse entraîner division, discorde ou rupture au sein d'une famille ou d'une communauté. Je m'engage à pratiquer l'effort juste[1] afin de cultiver ma compréhension, mon amour, mon bonheur et ma tolérance, et de transformer jour après jour les semences de violence, de haine et de peur qui demeurent en moi.

Cinquième Entraînement :
Transformation et guérison

Conscient de la souffrance provoquée par une consommation irréfléchie, je suis déterminé à apprendre à nourrir

---

1 L'effort juste a 4 aspects : empêcher les graines négatives de notre conscience du tréfonds qui ne se sont pas encore manifestées de se manifester ; aider nos formations mentales négatives qui se manifestent déjà dans notre mental à retourner dans notre conscience du tréfonds ; arroser nos graines positives pour qu'elles se manifestent dans notre mental ; maintenir nos formations mentales positives qui se manifestent déjà pour qu'elles restent aussi longtemps que possible.

sainement et à transformer mon corps et mon esprit, en entretenant une bonne santé physique et mentale par ma pratique de la pleine conscience lorsque je mange, bois ou consomme. Afin de ne pas m'intoxiquer, je m'entraînerai à observer profondément ma consommation des quatre sortes de nourritures : les aliments comestibles, les impressions sensorielles, la volition et la conscience. Je m'engage à ne pas faire usage d'alcool, ni d'aucune forme de drogue et à ne consommer aucun produit contenant des toxines comme certains sites internet, jeux, films, émissions de télévision, livres, magazines ou encore certaines conversations. Je m'entraînerai régulièrement à revenir au moment présent pour rester en contact avec les éléments nourrissants et porteurs de guérison qui sont en moi et autour de moi, et à ne pas me laisser emporter par des regrets et des peines quant au passé, ou par des soucis et des peurs concernant le futur. Je suis déterminé à ne pas utiliser la consommation comme un moyen de fuir la souffrance, la solitude et l'anxiété. Je m'entraînerai à regarder profondément dans la nature de l'interdépendance de toute chose, afin qu'en consommant, je nourrisse la joie et la paix, tant dans mon corps et ma conscience que dans le corps et la conscience collective de la société et de la planète.